Collection dirigée par Thierry Discepolo

SERGE HALIMI & DOMINIQUE VIDAL, *« L'opinion, ça se travaille… » Les médias, l'OTAN & la guerre du Kosovo.*

OBSERVATOIRE DE L'EUROPE INDUSTRIELLE (CEO), *Europe Inc. Liaisons dangereuses entre institutions & milieux des affaires européens*

NOAM CHOMSKY, *Responsabilités des intellectuels* (Préface de Michael Albert)

MICHEL BARRILLON, *D'un mensonge « déconcertant » à l'autre. Rappels élémentaires pour les bonnes âmes qui voudraient s'accommoder du capitalisme*

DENIS DIDEROT, *Apologies* (Présentation de Michel Barrillon)

PAUL NIZAN, *Les Chiens de garde* (Préface de Serge Halimi)

JEAN-PHILIPPE MELCHIOR, *L'État, entre Europe & nation. Petit manuel de sabordage du politique par lui-même.*

JOHN MAYNARD KEYNES, The End of *laissez-faire* (Postface de Jacques Luzi)

FRONT DE LIBÉRATION DU QUÉBEC, *Manifeste d'Octobre 1970* (Postface et notes de Christophe Horguelin)

BP 2326, F-13213 Marseille cedex 02
http://www.lisez.com/agone

ISBN 2-910846-54-7

Coédition Comeau & Nadeau Éditeurs
c.p. 129, succ. de Lorimier
Montréal, Québec H2H 1V0

ISBN 2-922494-49-7

Jean-Pierre Berlan,
Michael Hansen, Paul Lannoye,
Suzanne Pons,
Gilles-Éric Séralini

La guerre au vivant

Organismes génétiquement modifiés & autres mystifications scientifiques

Textes réunis par Jean-Pierre Berlan

Agone
Comeau & Nadeau

Mes remerciements vont à René Passet, président du Conseil scientifique d'ATTAC et auteur en 1979 d'un livre précurseur, *L'Économique et le vivant* (réédité en 1996), aux participants et aux animateurs des forels OGM dangers et Inf'ogm, à mes collègues de l'INRA qui, s'ils ne partagent pas mes vues, sont comme moi effarés par la privatisation en cours du vivant et de la recherche publique. J'ai une dette à l'égard de *Campagnes solidaires*, la revue de la Confédération paysanne qui, en publiant mes « Petites chroniques scientifiques » sur les mystifications des « hybrides » (juillet-août 1998 - juin 1999), m'a permis de rendre publiques des idées quelque peu dérangeantes.

On trouvera les références des livres et articles cités dans les notes numérotées en chiffres arabes reportées en fin d'ouvrage (p. 157-166).

Avant-propos

LA BIOLOGIE MODERNE et ses biotechnologies* relèvent plus de la spéculation financière caractéristique de notre époque que d'une science qui a perdu jusqu'au souvenir qu'elle avait pu se ranger sous la bannière de la vérité, de l'objectivité, du désintéressement et de l'émancipation. Depuis que la première « chimère » (terme utilisé lors du dépôt de brevet) génétique a ouvert en 1973 la boîte de Pandore de l'instrumentalisation du vivant à des fins de profit, cette biologie s'attache à capitaliser les profits futurs dans le cours présent des actions. Mettre en valeur le capital investi oriente les programmes scientifiques des entreprises comme ceux d'une recherche publique privatisée de fait – quand ce n'est pas de droit – et décide du contenu des explications en biologie. Le profit étant dans les gènes, la vérité scientifique s'y trouve aussi.

* Les termes suivis d'un astérisque renvoient à l'annexe « Quelques termes de la novlangue biotechnologique », qui décrypte les manipulations langagières des « sciences de la vie ».

Le jeu consiste à célébrer un avenir biotechnologique radieux pour faire gonfler la bulle spéculative présente. Ainsi en est-il en médecine des découvertes des gènes du cancer, de l'obésité, de l'homosexualité, de l'intelligence, du sport, de la schizophrénie, de la fidélité, etc., qui ne font que répéter sous l'habillage de la modernité biomoléculaire* les vieilles lunes qui ont scandé les dérives de la biologie depuis deux siècles – phrénologie, eugénisme, « chromosome du crime », sociobiologie, etc. [1]. Ainsi en est-il en agriculture des organismes génétiquement modifiés (OGM*) : des chimères au sens propre comme au sens figuré. Au sens propre car il s'agit de créer des organismes incorporant des gènes en provenance d'espèces ou de règnes différents. Au sens figuré car c'est une chimère de penser que les OGM permettront-de-nourrir-la-planète-en-respectant-l'environnement. Mais la propagande des industriels autoproclamés des « sciences de la vie » (Monsanto, Novartis et autres Aventis) a rendu aveugles les élites politiques, professionnelles et scientifiques à la fonction essentielle de *cette* biologie : créer de nouvelles sources de profit *aux dépens de la collectivité*.

1. Discipline scientifique de pointe au début du XIXe siècle, la phrénologie prétendait découvrir les facultés intellectuelles d'un sujet par la palpation de ses protubérances crâniennes – nous reste l'expression : « la bosse de maths ». L'eugénisme désigne un programme d'amélioration de l'espèce humaine. Si sa forme étatique fut discréditée par les camps de concentration, les « progrès » de la biologie suscitent aujourd'hui la demande marchande de l'enfant parfait. Dernier avatar du darwinisme social (application aux sociétés et races humaines de la sélection naturelle), la sociobiologie se propose d'expliquer certains comportements par des prédispositions génétiques qui se maintiendraient du fait de leur utilité.

Lancé au cours des années 1930 par la Fondation Rockefeller, baptisé « biologie moléculaire* » en 1938, ce *projet politique de contrôle social* par la biologie est en train de s'accomplir sous nos yeux : « Pouvons-nous développer une génétique assez solide et approfondie pour engendrer des hommes supérieurs dans l'avenir ? Pouvons-nous en savoir assez sur la physiologie et la psychologie de la sexualité pour que l'homme puisse mettre cet aspect omniprésent, essentiel et dangereux de la vie sous un contrôle rationnel ? [...] L'homme peut-il acquérir une connaissance suffisante de ses propres processus vitaux de façon que nous puissions rationaliser le comportement humain ? [1] ».

Le biologiste-spéculateur (à moins que ce ne soit l'inverse) qui fonde une « start-up » s'efforce de faire d'un bricolage une percée qu'une presse mystifiée célèbre comme un pas décisif dans la « maîtrise du vivant », ouvrant « d'immenses perspectives » en agriculture ou en médecine. La valeur des actions bondit. Le capital-risque se précipite. Les fonds recueillis alimentent la promotion qui attire de nouveaux gogos. Des annonces soigneusement distillées sur une prochaine percée scientifique réveillent l'enthousiasme des investisseurs et ainsi de suite. Lorsque Celera annonce avoir « achevé le séquençage du génome d'une personne et commencé maintenant à assembler les fragments séquencés du génome », ses actions grimpent de 25 %. Pourtant, selon le directeur du Centre national de séquençage français, Jean Weissenbach, « le communiqué de Celera n'a pas plus de signification que de valeur scientifique [2] ».

De 1996 à 1999, la culture de plantes transgéniques s'est étendue aux États-Unis comme un feu de prairie. La superficie décuplait de 2,8 à 28 millions d'hectares. Les bourses pariaient que l'agriculture et l'alimentation mondiales seraient bientôt transgéniques – c'est-à-dire qu'un cartel de quelques firmes agrochimiques-pharmaceutiques prendrait le contrôle de l'agriculture et de l'alimentation dans le monde. Deux décennies de propagande scientifique sur les miracles philanthropiques toujours prochains de la biologie « hi-tech » en agriculture et médecine avaient atteint leur objectif : paralyser l'esprit critique et le simple bon sens des « décideurs » de toutes obédiences politiques et professionnelles ; en obtenir la soumission, non pas honteuse, mais enthousiaste. La Commission déplorait le « retard » européen, reprenant ainsi le refrain du complexe génético-industriel, et s'apprêtait à subventionner, une fois de plus au nom de la compétitivité européenne et de l'emploi, la même demi-douzaine de transnationales biocidaires qui, régulièrement, empochent les subventions pour, dans le meilleur des cas, investir ailleurs.

En décembre 1996, la Commission avait autorisé la commercialisation du maïs transgénique. Au début de 1997, Corinne Lepage, ministre de l'Environnement, avait obtenu du Premier ministre Alain Juppé l'interdiction de cultiver le maïs transgénique Bt de Novartis. En juriste, elle nourrissait quelques soupçons à propos de l'unanimité des experts officiels et avait consulté des scientifiques indépendants – entre autres les professeurs Pelt et Séralini. Quelques mois plus tard, en novembre 1997, son successeur Dominique Voynet revenait sur cette décision et autorisait la culture de trois variétés transgéniques de Novartis. Deux organisations écologistes, Ecoropa et Greenpeace, déposaient alors un recours au nom du « principe de précaution ».

En juillet 1998, le vice-président des États-Unis Al Gore téléphonait au Premier ministre Lionel Jospin et lui faisait comprendre l'« importance de cette question pour les agriculteurs américains ». Le gouvernement autorisait aussitôt la culture de douze nouvelles variétés transgéniques, six de Monsanto et six de Novartis. « Monsanto 1 - France 0 », titrait *The Ecologist* [1] – un tel recul démontrait que la « conférence citoyenne » organisée par l'Office parlementaire des choix scientifiques et technologiques en juin 1998 – qui venait de recommander un moratoire sur la commercialisation de maïs transgénique comportant des gènes de résistance aux antibiotiques –, était bien la mascarade que certains dénonçaient.

En septembre 1998, à la suite du recours d'Ecoropa et de Greenpeace, le Conseil d'État suspendait au nom du principe de précaution l'autorisation de culture des trois variétés autorisées en novembre 1997, créant ainsi une situation pour le moins confuse : le maïs chimérique pouvait être importé mais pas cultivé ; sur quinze variétés autorisées à la culture, trois étaient suspendues et les autres sous la menace d'une suspension. En

1. Consacré à Monsanto, ce numéro (septembre-octobre 1998) faillit ne jamais voir le jour : menacé, l'imprimeur mit au pilon le premier tirage de ce numéro consacré au chef de file des « sciences de la vie ». Les éditeurs de *The Ecologist* durent trouver un autre imprimeur.

à lire !

décembre 1998, le Conseil d'État demandait à la Cour de Justice des communautés européennes si un État pouvait annuler une décision ministérielle prise en vertu d'une décision communautaire. La réponse tomba en mars 2000 : elle est négative mais ouvre des possibilités de recours si des irrégularités ont entaché la procédure nationale d'autorisation [3]. L'imbroglio ne fait que croître, témoignant des tiraillements des gouvernements français, acquis aux OGM* car persuadés qu'il s'agit d'un « progrès » [1] mais inquiets des risques éventuels et surtout de l'hostilité d'une opinion publique qui ne voit pas pourquoi elle servirait de cobaye à des produits inutiles.

De son côté, l'opinion publique – en Angleterre d'abord pour cause de vache folle, puis en France – prenait conscience de ce qui se préparait. En janvier 1998, au cours d'une manifestation exemplaire à Nérac, la Confédération paysanne détruisait un stock de semences de maïs transgénique de Novartis. Lors de leur procès à Agen en mars 1998, les inculpés posaient publiquement la question « d'un ordre social qui ne craint plus d'annoncer qu'il assume le risque d'empoisonner les hommes et leur planète au nom des équilibres financiers et de la libre circulation des marchandises [4]». L'agriculture chimérique échappait aux scientifiques et autres experts pour prendre sa dimension politique.

Au même moment, le 3 mars 1998, « Terminator* » – brevet de stérilisation des plantes déposé

1. Lire le discours du Premier ministre Lionel Jospin à l'occasion de la clôture de la conférence de promotion des biotechnologies Biovision en mars 1999 à Lyon.

par une firme privée et le ministère américain de l'Agriculture – contredisait la propagande des industriels des « sciences de la vie* ». Il révélait à tous l'objectif mortifère du complexe génético-industriel : stériliser le vivant. Une poignée de transnationales était en train de commettre, derrière le rideau de fumée de la philanthropie et de l'écologie, un hold-up sur le vivant, de faire main basse sur les ressources génétiques, d'achever la mise sous tutelle des agriculteurs et la confiscation de notre alimentation et de notre santé. Et de nous entraîner dans un monde transgénique aussi incertain qu'inutile.

Les contributions qui suivent s'efforcent de répondre aux préoccupations du mouvement de résistance aux mystifications techno-scientifiques de la biologie marchande.

Jean-Pierre Berlan

Il y a un tableau de Klee dénommé Angelus Novus. On y voit un ange qui a l'air de s'éloigner de quelque chose à quoi son regard semble rester rivé. Ses yeux sont écarquillés, sa bouche est ouverte et ses ailes sont déployées. Tel devra être l'aspect que présente l'Ange de l'Histoire. Son visage est tourné vers le passé. Là où à notre regard à nous semble s'échelonner une suite d'événements, il n'y (en) a qu'un seul qui s'offre à ses regards à lui : une catastrophe sans modulation ni trêve, amoncelant les décombres et les projetant éternellement devant ses pieds. L'Ange voudrait bien se pencher sur ce désastre, panser les blessures et ressusciter les morts. Mais une tempête s'est levée, venant du Paradis ; elle a gonflé les ailes déployées de l'ange ; et il n'arrive plus à les replier. Cette tempête l'emporte vers l'avenir auquel l'Ange ne cesse de tourner le dos tandis que les décombres, en face de lui, montent au ciel. Nous donnons le nom de Progrès à cette tempête.

WALTER BENJAMIN, *Écrits français*

Je n'ai jamais pensé que l'agriculture pouvait être autre que biologique.

GUY KASTLER
paysan de la Confédération paysanne

La génétique agricole : cent cinquante ans de mystification

Des origines aux chimères génétiques

EN MARS 1998, le ministère américain de l'Agriculture – la recherche publique – et une firme privée, la Delta and Pine Land [1], déposent un brevet sur une technique de transgénèse appelée « contrôle de l'expression des gènes* » : en fait, une plante génétiquement manipulée pour produire un grain stérile. Deux mois plus tard, Monsanto rachète cette compagnie et son brevet, qu'elle dépose dans plus de 80 pays.

Cette déclaration de guerre de l'économie politique au vivant marque l'irruption dans la conscience sociale des exigences de l'économie politique. Ces exigences avaient été soigneusement refoulées : l'actuelle guerre ouverte succède à une

1. Les variétés de coton de Delta and Pine Land sont cultivées sur environ 4 millions d'hectares aux États-Unis, soient plus de 70 % du marché des semences de coton. En rendant les variétés de coton de Delta tolérantes au Round Up, son herbicide-phare, Monsanto accroît d'autant son marché. Le rachat de Delta par Monsanto a finalement été bloqué par les autorités américaines de la concurrence car Monsanto aurait eu un quasi-monopole des semences de coton (plus de 80 % du marché).

guerre secrète de 150 ans, d'intensité variable selon les rapports de force, les pays, les espèces et le moment. C'est l'histoire de cette guerre et des mystifications scientifiques qui l'ont dissimulée que nous allons retracer.

QUAND SE REPRODUIRE EST UN MALHEUR, LE PAYSAN UN PIRATE & SE NOURRIR UN RECEL

On ne peut vendre à quiconque ce qu'il produit ou ce dont il dispose déjà à satiété. Le rappel de ce principe économique, trivial en apparence, jette une lumière nouvelle sur les sciences agronomiques et d'abord sur la plus prestigieuse parce que la plus stratégique d'entre elles : la génétique appliquée à l'amélioration des plantes (et des animaux) [voir schéma ci-contre].

Appliquons ce principe à l'agriculture : tant que le paysan peut mettre de côté une partie de sa récolte comme semence – acte fondateur de l'agriculture et de nos civilisations –, le « semencier » ne peut lui en vendre. Pour le faire, il doit l'empêcher de semer le grain récolté.

La condition *sine qua non* de l'existence du « semencier » est donc soit d'interdire légalement de semer le grain récolté, soit d'empêcher biologiquement les plantes de se reproduire et se multiplier dans le champ du paysan. Politiquement, la première solution était exclue jusqu'à ces dernières années. Il ne restait donc que des méthodes biologiques. Mais, là encore, la condition du succès était de cacher cet objectif aux agriculteurs comme à l'opinion publique.

Aucun investisseur-semencier ne pouvait dire que, *pour lui*, la faculté fondamentale des êtres vi-

Le rôle central du sélectionneur dans la recherche agronomique classique

D'après Jean-Pierre Berlan & Richard Lewontin, *Nature*, 1986

Le sélectionneur est la pièce maîtresse de la recherche agronomique « classique ». Son travail se nourrit des apports de la biologie (de la zoologie à la génétique) et des données sur le milieu technique, social et naturel auquel il doit *adapter* plantes et animaux. Ainsi, les variétés actuelles de céréales ont-elles été adaptées aux intrants modernes : engrais fongicides, herbicides, pesticides et autres régulateurs de croissance. Les plantes et les animaux sont chargés de « mettre en valeur » au sens de l'économie politique, c'est-à-dire de transformer en source de profit ce que les firmes produisent. Ils en sont de simples rouages. Jusqu'à ces dernières années, le travail du sélectionneur n'avait pas de prix, au double sens paradoxal de son utilité inestimable et pas de valeur, au sens de source de profit, puisqu'il était gratuit. Le paysan le reproduisait et le multipliait dans son champ. Les biotechnologies ont bouleversé cette situation. La manipulation du vivant est apparue comme un nouvel eldorado pour les investisseurs. En prenant le contrôle de ce facteur stratégique, les transnationales ont pris les commandes de l'évolution de l'agriculture, de l'alimentation et de la vie de notre planète.

vants, se reproduire, est un grand malheur ; que le paysan qui la met en œuvre dans son champ est un « pirate » ; que se nourrir est un recel. La paysannerie fut longtemps une catégorie sociale nombreuse et influente, et les semenciers des entreprises familiales d'agronomes-sélectionneurs dont la prospérité reposait sur une réputation d'intégrité commerciale [1]. Enfin, le vivant était sacré. Révéler l'objectif mortifère du marché l'aurait rendu *politiquement* hors d'atteinte.

Depuis le milieu du XIXe siècle, les scientifiques de toutes obédiences (généticiens, agronomes, historiens, économistes et sociologues) ont ignoré ce qui était une évidence pour tout homme d'affaires : tant que le grain que récolte le paysan est aussi la semence de l'année suivante, lui vendre des semences est impossible. Ils ont vaqué à leurs occupations scientifiques comme si cette contradiction ne les concernait pas. Existe-t-il meilleur témoignage de la soumission des scientifiques à l'économie politique que cet aveuglement ?

UNE DISTINCTION FONDATRICE : « SEMENCE-DISQUETTE & SEMENCE-LOGICIEL »

Le terme « semence » a une double dimension : l'une, physique et matérielle, le grain ; l'autre, immatérielle et informationnelle – au sens « qui donne forme ». Par analogie avec l'informatique, nous parlerons de « semence-disquette » pour dé-

1. Que l'on pense aux Vilmorin, Tézier et, plus près de nous, aux maisons traditionnelles de sélection du nord de la France : les Deprez, Benoît, Pichot et tant d'autres…

signer la première et de « semence-logiciel » pour la seconde. Cette distinction éclaire la dynamique de la génétique agricole depuis ses origines.

Si nous prenons au sérieux ce que les biologistes présentent comme leur plus grand triomphe, *la réduction du vivant à l'unidimension d'un programme génétique*, sélectionner c'est créer un nouveau logiciel et, donc, produire en agriculture, c'est reproduire et multiplier ce logiciel génétique. Cette reproduction peut se faire en moyenne (dans le cas d'une population), ou plante à plante (lorsqu'il s'agit d'espèces autofécondées – dites autogames – comme le blé, l'orge ou le soja [1]). Un logiciel que tout utilisateur reproduit et multiplie, c'est-à-dire *copie* librement n'a pas de « valeur » au sens de l'économie politique parce qu'il n'est pas source de profit. Le but de tout *investisseur*-sélectionneur ne peut donc être que de « plomber » ce qu'il considère comme « son » logiciel de façon à en empêcher la copie par le paysan. Il lui faut rendre les plantes et les animaux incapables de se reproduire dans le champ du paysan. En d'autres termes, l'*investisseur*-sélectionneur désire avant tout des plantes et des animaux en quelque sorte *stériles*.

Mais alors, pourquoi les agriculteurs achètent-ils des « semences » même lorsqu'ils peuvent semer le grain récolté ? Pourquoi existe-t-il depuis longtemps un marché des « semences » pour des espèces qui (comme le blé, l'orge, l'avoine, le soja et autres plantes naturellement autofécondées) se reproduisent identiquement à elles-mêmes d'une génération à la suivante ? Cette objection familière repose sur une confusion. Elle revient à considérer qu'un fabricant de logiciels serait un fabricant de disquettes parce qu'il vend ses logiciels sous cette forme matérielle. La « semence-logiciel » se reproduit avec une très grande fiabilité dans le champ du paysan – la double hélice est en effet un système sûr de copie : une erreur toute les 100 000 lettres de l'alphabet génétique (A, T, G, C). En revanche, la production industrielle de « semences-disquettes » (c'est-à-dire la transformation du grain récolté en semence) est délicate : il faut s'assurer que les « disquettes » (le grain récolté) assureront convenablement leur fonction logicielle, c'est-à-dire seront productives dans le milieu naturel et technique où elles seront utilisées. Pour cela, il faut :

— éliminer les graines de mauvaises herbes ou celles des cultures précédentes (en somme les « disquettes » qui portent un mauvais « logiciel ») ;

— trier les « disquettes » de mauvaise qualité incapables de remplir leur « fonction logicielle » (par exemple, séparer les grains trop petits ou cassés ou éviter que les machines blessent le germe lorsqu'il est fragile comme dans le cas du soja) ;

— protéger les « disquettes » des « virus » et autres « bogues » qui entraveraient le fonctionnement du logiciel (autrement dit, traiter le grain récolté avec des fongicides et des pesticides) ;

— uniformiser les « disquettes » (c'est-à-dire calibrer les grains et s'assurer de leur pouvoir germinatif) ;

— enfin, emballer et stocker les « disquettes » avant de les transporter et de les vendre (ensacher les semences et les conserver dans de bonnes conditions).

Lorsqu'un agriculteur achète des « semences » de blé au lieu de semer son grain récolté, il achète un *service industriel*, celui de la transformation du grain récolté en semence – et non pas le « logiciel » génétique (la variété) dont il possède des copies à ne savoir qu'en faire. Ce logiciel génétique est *libre*. Quand le paysan achète des « semences » dites « hybrides » (cas du maïs par exemple), il achète aussi du grain trié, calibré, traité, ensaché, etc., c'est-à-dire ce même service industriel. Mais il ne faut pas s'arrêter aux apparences. En réalité, il achète avant tout (à un prix exorbitant) un « logiciel » génétique car, avec les « hybrides », l'agriculteur ne peut semer le grain récolté sans que le rendement chute. Les « hybrides » permettent de séparer la *production*, qui reste le fait du paysan, de la *reproduction*, qui appartient au sélectionneur et à lui seul. Pour poursuivre la métaphore informatique, la caractéristique d'un logiciel « hybride » est de s'autodétruire dans le champ du paysan. Il faut le racheter l'année suivante. Le logiciel génétique est *captif*.

Le sélectionneur ne cherche donc pas à vendre des « disquettes » mais des « logiciels ». Et il importe peu que, pour l'instant, il apparaisse comme un marchand de « disquettes », de semence-grain [1]. Ce qui confronte les sélectionneurs à un vertigineux problème *politique* : si un fabricant de logiciels peut en réclamer la protection, c'est-à-dire en interdire la copie sans que personne n'y voie malice (à tort, mais c'est une autre question), protéger un « logiciel génétique », c'est-à-dire en interdire

1. Le « brevet sur les inventions biotechnologiques » (directive européenne 98/44) autorise de breveter les gènes, ce qui permet de dissocier la production de « logiciels génétiques » de celle de « semence-grain ».

la copie, exige d'interdire au paysan de semer le grain qu'il récolte – la pratique fondatrice de l'agriculture. Le « sélectionneur » doit d'abord *exproprier un bien commun et libre de l'humanité* (la faculté des êtres vivants de se reproduire et de se multiplier) pour se l'approprier et en tirer profit.

Un projet politique aussi inouï de création d'un privilège* ne peut réussir sans mystification. On comprend que les scientifiques et autres experts ès semences aient préféré ignorer cette distinction conceptuelle capitale. La confusion entretenue par le terme « semence » les y a admirablement aidés.

Comment une société démocratique s'y est-elle prise pour créer un tel privilège ? Comment s'y prend-elle pour poursuivre cette expropriation du vivant pour le compte d'un cartel de transnationales ? Pourquoi les OGM* sont-ils le couronnement de ce processus historique ? Telles sont les questions auxquelles nous allons tenter de répondre.

« TERMINATOR » : DU TRIOMPHE DU PROFIT SUR LE VIVANT À UNE RETRAITE TACTIQUE

Avec Terminator, le complexe génético-industriel s'est senti assez fort pour démasquer son objectif. Sa propagande n'avait-elle pas préparé le terrain ? N'avait-il pas racheté les semenciers traditionnels pour imposer ses chimères aux agriculteurs ? Le « progrès » n'avait-il pas éradiqué ces paysans qui nous ont légué leurs terroirs (autant de chefs-d'œuvre de diversité, d'harmonie, d'adaptation au milieu, de coopération avec la nature) pour les remplacer par des « exploitants [I]» qui s'acharnent à détruire ce patrimoine au nom d'une productivité subventionnée et iatrogène [II]? Que restera-t-il de ces terroirs magiques lorsque ces Attila technophiles les auront saccagés ? Le vivant réduit à l'unidimension de filaments d'ADN est devenu, dans le silence des églises [III], un outil de profit. Enfin, signe des temps, un ministre de l'Éducation, de la Science et de la Technologie d'un gouvernement se disant socialiste s'est efforcé pendant des années de remplacer la science aimante et désintéressée par le « business » : la spéculation et le goût du lucre biomoléculaires [lire infra, p. 127].

Le brevet dit de « contrôle de l'expression des gènes*» n'est ni un accident ni le fruit du dérangement de quelque Docteur Folamour mais le triomphe de 150 ans de sciences agronomiques sous influence. C'est la victoire de la loi du profit sur celle du vivant. C'est, après l'accomplissement de l'économie politique du capital jusqu'au fond des campagnes – l'élimination des paysans –, son accomplissement au sein même du vivant. C'est la fin officiellement proclamée de l'agriculture :

I. Terme mystificateur qui confond deux statuts opposés : les exploitants exploiteurs (de subventions, de l'environnement, du consommateur) ; et les exploités exploitant leur propre travail et celui de leur famille. Faut-il rappeler que 80 % des subventions vont à 20 % des exploitants, tandis que, à l'autre bout de l'échelle, 25 % des exploités vivent en dessous du seuil de pauvreté ?

II. « Iatrogène » se dit d'une thérapie qui, par son application même, provoque d'autres maladies, qu'elle ne peut évidemment soigner qu'en une course en avant toujours plus morbide.

III. Silence toutefois récemment rompu : l'Église catholique ne voulant plus rater le coche du « progrès », elle a pris position pour les OGM en janvier 2000.

« Terminator »[I]. Certes, dans la confusion des esprits entretenue par la novlangue biotech, on continuera à utiliser le terme « agriculture », vidé de toute réalité, pour désigner notre avenir transgénique de la même façon que l'on appelle « élevage » les usines à porcs, à subventions et à pollutions flottant sur une mer d'excréments.

On pouvait espérer qu'en révélant l'objectif mortifère de notre société, Terminator ruine l'objectif d'expropriation du vivant au profit de quelques transnationales et ridiculise la propagande du complexe génético-industriel sur les « OGM*-qui-vont-nourrir-la-planète-en-protégeant-l'environnement ». On pouvait espérer que se dissiperaient aussitôt les mystifications de la directive européenne 98/44 de « brevetabilité des inventions biotechnologiques » – un Terminator législatif [lire infra, p. 129] –, simple étape avant son extension au monde entier dans le cadre des négociations de l'Organisation mondiale du commerce (OMC).

Il n'en a finalement rien été. Le complexe génético-industriel a organisé le discret escamotage de Terminator dans le cadre de son action continue de désinformation : il se serait agit d'une « technologie devenue folle [2] » ; des scientifiques relayés par des journalistes expliquent qu'il fallait lutter contre la pollution génétique [II]... De hauts repré-

I. Nous devons cette géniale trouvaille sémantique à Pat Mooney, directeur de l'organisation non-gouvernementale canadienne Rural Advancement Fund International.

II. Dans un article dont le titre qualifie son auteur, « Les OGM, entre mensonges et hystérie », Klaus Ammann raconte que « le brevet que les écologistes ont habilement baptisé ainsi a aussi pour objet de limiter les risques de flux de gènes » [3]. Quelques mois plus tard, la

sentants de la recherche agronomique publique française l'ont condamné (tardivement) au nom de l'éthique* [1] tout en mettant en place *au même moment* le programme Génoplante, destiné à « fabriquer de la protection industrielle », c'est-à-dire à faire légalement ce que Terminator fait biologiquement [lire infra, p. 129]. Enfin, le gouvernement français s'apprêtait à marquer sa présidence de l'Union européenne en offrant la privatisation du vivant à un cartel de transnationales biocidaires [5].

Aux États-Unis, les grandes fondations et autres *think tanks* servent de poissons-pilotes à l'État pour protéger ce qui est, véritablement, l'intérêt général du système. Depuis l'entre-deux-guerres, la fondation Rockefeller a joué un rôle politique essentiel, quoique méconnu, en dirigeant les développements de la biologie moderne, de la biologie moléculaire* à la pilule contraceptive, en passant par la Révolution verte. Le président de la Fondation a donc demandé à Monsanto de renoncer à Terminator et le cow-boy s'est finalement soumis au début du mois d'octobre 1999. Il est vrai que Monsanto avait perdu les deux tiers de sa capitali-

---

désinformation est complète : « À l'origine, le gène "Terminator" des plantes a été conçu pour réduire la dissémination des transgènes dans la nature. [4] » À ce train-là, on verra bientôt de tels écologistes souligner l'intérêt de la bombe atomique pour la bio-diversité du fait de l'effet mutagène des radiations !

1. Dans *La France Agricole* du 23 avril 1999, M. Vialle, directeur général de l'INRA, déclarait bien tardivement : « L'INRA et ses partenaires de Génoplante ne veulent pas dévoyer la recherche avec des utilisations pratiques qui seraient non admises et non admissibles. Je le dis de manière très claire. L'INRA s'est doté d'un comité d'éthique pour suivre un certain nombre de problèmes. Nous représentons la recherche publique et ne devons ni faire, ni cautionner n'importe quoi. »

sation boursière – relativement à ce qu'elle aurait été au rythme de la spéculation. Cette renonciation – qui témoignait, a-t-on dit, de la victoire de l'éthique sur le lucre... – n'en était toutefois pas une : le projet de fusion avec Delta and Pine Land (codétenteur du brevet Terminator avec le ministère américain de l'Agriculture) venait d'être bloqué par les autorités de la concurrence [1].

Monsanto est allé trop vite, trop loin, de façon trop arrogante. Quoi qu'il en soit, merci pour cette bourde politique monumentale qui nous invite à réexaminer l'histoire de la génétique agricole et de ses mystifications. Pour que la recherche agronomique, emportée par la tempête aveugle du progrès (Benjamin), voit enfin devant elle les décombres montant jusqu'au ciel d'un monde qu'elle a si efficacement contribué à détruire. Pour que Monsanto et ses concurrents-alliés (les Aventis, Novartis et autres Astra-Zeneca) ne puissent pas nous imposer leurs chimères au nom de la philanthropie verte de leurs soi-disant « sciences de la vie* ». Pour que, tous, nous nous rendions enfin compte que la loi du vivant est incompatible avec celle du profit.

1. Les titulaires du brevet ont poursuivi leurs travaux comme le montre le dépôt récent de deux brevets perfectionnant Terminator. Le ministère américain de l'Agriculture a renié les engagements qu'il avait pris de cesser les travaux et Delta and Pine Land déclara : « Nous avons continué à travailler sur le système de protection technologique. Nous n'avons jamais ralenti. Nous tenons nos objectifs et nous allons le commercialiser. Nous n'y avons jamais renoncé. » [6]

LE XIXe SIÈCLE : DE L'ISOLEMENT AUX VARIÉTÉS QUI « SE DÉTÉRIORENT » DANS LE CHAMP DU PAYSAN

Au début du XIXe siècle, les gentilshommes-agriculteurs anglais observent que les plantes de blé ou d'orge conservent leurs caractéristiques individuelles d'une génération à la suivante à partir du moment où on les reproduit à partir d'un seul grain ou d'un seul épi – elles sont dites « conformes à l'original » [*breed true to type*]. Pour accroître la rentabilité de *leurs* domaines, ils cherchent à *isoler* des plantes exceptionnelles pour semer ce *modèle unique supérieur* qu'ils peuvent multiplier à volonté. Ainsi, « le vieux blé Chidham cultivé dans ce pays de 1800 à 1880 ou plus tard, écrit le sélectionneur de blé Percival en 1921, provient d'un seul épi trouvé dans une haie à Chidham dans le Sussex ». En Écosse, Patrick Shirreff développe son blé Mungoswell à partir d'une plante qui avait bien survécu à l'hiver rigoureux de 1813 [7]. En 1836, à la suite d'une observation que le botaniste espagnol La Gasca lui avait faite quatre ans plus tôt, John Le Couteur codifie cette technique.

La culture d'un mélange ne peut donner un meilleur rendement que celle de la meilleure plante le composant [1]. « On obtiendrait le meilleur résultat, écrit Le Couteur, si chaque épi produisait des grains à peau fine, dodus comme des grains de

1. Loi exacte dans le cadre du postulat cartésien suivant lequel le tout n'est que la somme des parties. Mais des travaux récents sur le riz montrent que la culture de mélanges variétaux peut freiner le développement de maladies et donner des résultats bien supérieurs à la culture de variétés pures [8].

café, contenant évidemment beaucoup de farine à l'intérieur d'une enveloppe de son délicate, transparente et fine comme ce que produit un blé de Dantzig sélectionné dans des mélanges. [...] Aucun auteur n'a jusqu'ici attiré l'attention du monde agricole sur la culture de types purs [*pure sorts*], provenant d'un seul grain ou d'un seul épi. [9]» La Gasca et Le Couteur sont les inventeurs de la technique de base de l'amélioration des plantes *que nous utilisons toujours.* Notre modernité génétique repose donc sur une technique vieille de deux siècles. L'amnésie est nécessaire à ses triomphes [1].

Pourtant, vers 1860, le major Hallett perfectionne cette technique en Angleterre : celui-ci, écrit Darwin en 1868, « a été beaucoup plus loin [que Le Couteur] et, par une sélection continue des plantes issues d'un même épi au cours des générations successives, a rendu son blé "pedigree" [et ses autres céréales] fameux dans de nombreuses parties du monde. [10]» En 1861, Frederick Hallett fait paraître à plusieurs reprises dans le *Times* la première publicité pour une variété de blé. En 1862, il publie dans le *Journal of the Royal Agricultural Society* un article annonçant sa découverte scientifique : « La loi de développement des céréales », qui fonde une méthode révolutionnaire d'amélioration [11].

La méthode de Hallett est darwinienne : d'une part, il accumule par « sélection continue » les

1. La brebis Dolly (et d'une manière générale le clonage) étend la vieille méthode de l'isolement aux mammifères grâce aux techniques de manipulations cellulaires.

« imperceptibles » variations dans ses variétés et, d'autre part, il les cultive dans des conditions de jardinage pour qu'elles acquièrent la vigueur que confère un milieu exceptionnellement favorable [1]. Cette sélection continue est nécessaire car les plantes ont tendance à retourner à leur état originel lorsque la pression sélective cesse. Elles « se détériorent » dans le champ du paysan – c'est-à-dire perdent leurs caractéristiques productives : « Il est de la plus haute importance d'acheter des semences fraîches de Brighton chaque année où la sélection se poursuit, et sans laquelle aucune souche [*breed*] ne se conserve », précise Hallett en 1887 [13].

Comme ses prédécesseurs, Hallett part donc d'un seul grain et poursuit la sélection génération après génération, améliorant ainsi continuellement ses variétés. Mais en 1892, Hjalmar Nillson, appliquant la version germanique de la sélection continue – qui consiste à sélectionner les plantes selon des critères morphologiques précis –, constate que, à la génération suivante, les plantes ne conservent pas les caractéristiques parentales. C'est donc que cette méthode de sélection ne marche pas. Pourtant, dans quelques très rares parcelles d'essai, il observe une grande uniformité. Retournant à ses carnets de notes, il constate qu'il s'agit de la descendance d'une *seule* plante (la seule ayant correspondu à ses critères morphologiques) et que cette descendance conserve les caractéristiques de la plante mère. Nillson formule alors l'hypothèse que ses céréales conservent leurs caractéristiques d'une génération sur l'autre [*breed true*

1. *L'origine des espèces* date de 1859. Darwin acceptait les vues de Lamarck sur l'hérédité des caractères acquis [12].

to type]. Il la vérifie l'année suivante et redécouvre ainsi la méthode oubliée de l'isolement, qui devient celle des lignées.

En 1903, Wilhem Johannsen explique théoriquement l'échec de la sélection continue dans le cadre mendélien redécouvert en 1900 [1]– une analyse inaccessible aux biologistes en 1 860. Les plantes de blé, d'orge, etc. conservent bien leurs caractéristiques d'une génération sur l'autre comme l'avaient observé les gentilshommes-agriculteurs du début du siècle. Hallett supprimait dès le départ toute variation héréditaire : il ne sélectionnait donc que des variations « fluctuantes » (dues à l'environnement et aux accidents du développement), c'est-à-dire du vent.

Peut-on qualifier Hallett de charlatan ? Non. Lorsqu'une question scientifique est nouvelle, l'ignorance est infiniment plus vaste que le savoir. Le concept d'hérédité biologique se dégage alors à peine de ses origines sociales (les règles de transmission du pouvoir et de la richesse) et médicales (les maladies familiales) qui intriguent les médecins depuis la Renaissance [15]. En l'occurrence, la distinction entre variations héréditaires et varia-

1. L'article fondateur de la génétique de Gregor Mendel présenté en 1 865 à la Société de Sciences naturelles de Brno a été publié en allemand l'année suivante et envoyé à 133 sociétés de sciences naturelles dans différents pays sans susciter l'intérêt de ses contemporains. Les raisons de ce désintérêt sont multiples. La principale est la rupture de Mendel avec la conception dominante d'une « hérédité continue » (la métaphore du « mélange des sangs ») et son remplacement par une conception discrète de l'hérédité. Ce n'est qu'en 1900 que, simultanément, Hugo De Vries à Amsterdam, Carl Correns à Tubingen et Erich von Tschermark à Vienne « redécouvrent » les lois et le travail de Mendel. L'article de Mendel, fruit d'un travail expérimental de *dix* années, est le plus bel article scientifique que je connaisse [14].

tions fluctuantes est dans les limbes. Hallett pouvait donc décrire dans les meilleures revues scientifiques sa « loi de développement des céréales » sans risquer d'être réfuté.

Notons le paradoxe : une technique de *sélection* profitable au semencier mais n'apportant rien ni à l'agriculteur ni à la collectivité remplace une technique d'*amélioration* utile à l'agriculteur mais sans profit pour le semencier. De cela, l'agriculteur ne peut se rendre compte. Si Hallett peut attribuer le succès d'une variété à sa technique de la sélection continue (alors qu'elle est due au choix initial d'une bonne plante), il peut trouver mille raisons pour expliquer l'échec d'une variété dans son champ : semis trop précoce (ou trop tardif), trop dense (ou pas assez), mauvais précédent cultural, fumure inadaptée, sol trop humide ou trop sec, etc. Les techniques expérimentales permettant de mettre en évidence de façon fiable la supériorité *en moyenne* d'une variété *dans un milieu donné* ne deviendront disponibles que dans les années 1920 avec les progrès de la théorie statistique. Que faire sinon s'en remettre à la science, aux connaissances exactes et vérifiées qu'elle est censée produire, et donc à la découverte *scientifique* de « la loi de développement des céréales » ? La science est déjà un outil de vente.

Pourquoi, vers 1860, des plantes qui conservent leurs caractéristiques perdent-elles cette faculté biologique ? La biologie du blé ou de l'orge a-t-elle changé ? Non, bien sûr. Mais les gentilshommes-agriculteurs sont devenus des *sélectionneurs professionnels*. Ils ne veulent pas entendre parler de variétés se reproduisant dans le champ de l'agriculteur. La biologie des plantes s'adapte donc avec souplesse aux nouveaux intérêts économiques. Hallett expose sa méthode dans les meilleures revues scientifiques, y compris *Nature* [16]. Rien ne permet d'affirmer à ce moment-là qu'il se trompe. La science n'en sait rien. Elle mettra quarante ans à trancher la question.

Hugo De Vries, le biologiste le plus influent de la première décennie de ce siècle, est le seul à comprendre dès 1907 que l'assertion selon laquelle les variétés se détériorent dans le champ de l'agriculteur « *exerce une grande influence sur la discussion des questions théoriques*. Le gain du sélectionneur d'une nouvelle variété dépend en grande partie du crédit que l'on accorde à cette affirmation [17]. »

Pour tout scientifique, les forces sociales ou économiques ne doivent en aucune façon influencer voire déterminer le contenu de la vérité scientifique, tout entière contenue dans l'objet examiné. Cette noble ambition soulève en pratique bien des difficultés. Il ne suffit pas de se vêtir de lin blanc et de probité candide ni de se réfugier derrière les murs de son laboratoire pour échapper à la fureur du monde. Pour éviter ces influences, la meilleure tactique consiste-t-elle à se mettre, comme une autruche, la tête dans les sables d'une objectivité *postulée* sans s'interroger sur les multiples canaux par lesquels ces forces agissent ? ou faut-il avoir conscience que ces influences s'exercent d'autant plus vivement que nous les nions ? En tout cas, il est dommage que les biologistes successeurs de De Vries n'aient tenu aucun compte de son observation. Peut-être le cours de la génétique agricole en aurait-il été changé.

Ce remplacement d'une technique d'amélioration sans profit pour le sélectionneur par une technique d'expropriation inutile voire dommageable pour l'agriculteur et la collectivité annonce les « hybrides » du XXe siècle et l'agriculture chimérique des transnationales biocidaires du XXIe siècle. Les mystifications seront les mêmes : créer une source nouvelle de profit au nom de la philanthropie ; profiter de l'ignorance propre à l'activité scientifique pour imposer les choix scientifiques et techniques les plus profitables aux dépens des solutions utiles ; utiliser la science comme outil de vente. Quand donc les scientifiques se rendront-ils compte de leur rôle ? Quand diront-ils la vérité ? Nous sommes faits d'ignorance ; le peu que nous savons est entouré d'incertitudes ; c'est pour cette raison que nous faisons de la science. Si l'économie politique veut que les plantes (et les animaux) ne puissent plus se reproduire dans le champ du paysan, qu'on le fasse sans nous demander d'expliquer que la nature l'exige.

LE XXe SIÈCLE : LES « HYBRIDES »

Deux biologistes américains, George Shull et Edward East, inventent en 1908-1909 la technique révolutionnaire dite (à tort) des « hybrides » pour le maïs. Ils s'en disputent aussitôt âprement la paternité. Étendue maintenant à 23 espèces alimentaires (pour ne rien dire des volailles et des porcs) et dans l'avenir à dix autres [18], elle domine la sélection des plantes (et des animaux) au XXe siècle. Le maïs hybride est bien le « paradigme » de l'amélioration des plantes [19]. À ceci près qu'il ne s'agit pas d'une technique d'*amélioration*, mais d'une technique d'*expropriation* mystifiée en technique d'amélioration. Pourquoi ?

La technique des « hybrides » n'est autre que la bonne vieille technique de l'isolement du début du XIXe siècle. Appliquée par les gentilshommes anglais au blé, à l'orge, à l'avoine – c'est-à-dire à des plantes qui conservent leurs caractéristiques d'une génération à la suivante : c'est une technique d'*amélioration*. Appliquée par les généticiens américains à une plante à fécondation croisée (le maïs), *qui ne conserve pas ses caractéristiques individuelles d'une génération à la suivante*, elle devient une technique *d'expropriation*. Ce qui distingue cette technique des autres méthodes de sélection n'est pas d'augmenter le rendement – comme on le clame – mais de faire chuter celui du grain récolté – comme on le tait. Une fois de plus, les scientifiques ont renversé la réalité – à leur insu, mais peu importe. En 1946, au moment où son invention a triomphé, Shull écrit : « Lorsque l'agriculteur veut reproduire les résultats splendides qu'il vient d'obtenir avec le maïs hybride, son seul recours est de retourner chez l'hybrideur où il s'est procuré les semences l'année précédente. [20]» C'est déjà Terminator, mais mystifié par des « résultats splendides ».

Incontestablement, les seuls « résultats splendides » sont ceux des producteurs de semences « hybrides ». Leon Steele écrivait [1] : « Voici une

1. Leon Steele est vice-président de Funk Seeds International, une entreprise de semences « hybrides » de maïs rachetée par Ciba en 1974. Cette dernière a fusionné avec Sandoz pour donner Novartis

réussite que les banquiers et les hommes d'affaires peuvent apprécier : une industrie partie de presque rien en 1934 et faisant 60 à 70 millions de dollars de chiffre d'affaires en 1944 [21]. » Mais pour la collectivité, censée bénéficier de l'augmentation de la production via la baisse du prix, le choix des « hybrides » a, en fait, freiné l'amélioration du maïs : si l'on compare ce qui est comparable [1], entre 1920-1921 et 1945-1946, période de développement exclusif des « hybrides » et de leur diffusion, le rendement du maïs augmente de 18 % aux États-Unis contre 32 % pour le blé (non-hybride). De plus, cette expropriation-appropriation a provoqué un renchérissement des coûts de production du maïs. En France, le rendement moyen du maïs est maintenant de 75 quintaux par hectare, mais l'agriculteur consacre l'équivalent de 15 quintaux à l'achat obligé de semences. Son rendement une fois défalqué le coût des semences est donc de 60

en 1997. Les divisions « semences » des deux entreprises ont elles-mêmes fusionné pour former Novartis Seeds Inc.

1. Pour démontrer le caractère miraculeux des « hybrides », les sélectionneurs américains comparent l'évolution du rendement du maïs à ceux de l'avoine (Hayes, 1963) et du foin de phléole (Gowen, 1952), c'est-à-dire des plantes dont la sélection est abandonnée depuis les années 1920 car presque exclusivement consommées par les chevaux – remplacés par les tracteurs à partir de la fin des années 1910. Plus significatif encore, j'ai vérifié la source des trois citations de l'ouvrage de Jugenheimer à l'appui de son affirmation que « les estimations conservatrices indiquent que les semences hybrides ont accru la production aux États-Unis de 25 à 50 % [22]». L'une vient de son propre livre de 1958 où l'on trouve la même assertion sans la moindre référence. La deuxième vient d'un sous-secrétaire à l'Agriculture qui ne donne pas, lui non plus, la moindre référence. La troisième vient d'un livre de scientifiques du ministère de l'Agriculture qui cite... le même sous-secrétaire à l'agriculture !

quintaux seulement. Une nouvelle fois, la propagande a réussi à nous faire prendre les vessies de l'expropriation pour la lanterne du progrès. Comment ?

Le maïs porte sa fleur mâle au sommet de l'épi et sa fleur femelle sur la tige. Le pollen transporté par le vent et les insectes féconde les plantes du champ, parfois à plusieurs centaines de mètres de distance. Toute plante de maïs étant donc issue de la fusion d'un grain de pollen et d'un ovule venant de parents *différents*, elle provient d'un croisement. Toute plante de maïs est un « hybride » naturel – soit dit en passant, chacun de nous est aussi un « hybride »... Par conséquent, ce qui distingue une variété commerciale dite « hybride » des populations *libres* d'hybrides naturels cultivées autrefois n'est pas son hybridité. On a remplacé le mélange de plantes naturellement hybrides que cultivait le paysan par un modèle unique de plante, ni plus ni moins « hybride » que toute plante du mélange originel. Le sélectionneur n'a fait qu'extraire une plante *reproductible* supérieure à la moyenne du mélange de plantes (des « populations ») que cultivait le paysan. Il a appliqué la technique de l'isolement. Mais cette plante, seul le sélectionneur peut la reproduire. Un « hybride » commercial est donc une variété *captive*. Pourquoi ?

LA DÉPRESSION CONSANGUINE

On observe depuis la nuit des temps chez les mammifères l'effet délétère sur la descendance de la combinaison de parents ayant une hérédité commune. Plus la consanguinité est importante, plus cette « dépression consanguine » se manifeste. En 1876, Darwin étudie systématiquement la fécondation croisée et l'autofécondation chez les plantes. Il observe chez le maïs la perte de vigueur qui suit son autofécondation [23].

Au cours des années 1905-1908, Shull étudie l'hérédité dans le cadre des nouveaux principes mendéliens. Il utilise le maïs comme matériel expérimental car, les fleurs étant séparées, le contrôle de la pollinisation est aisé. Il fait des autofécondations en ensachant la fleur mâle et la fleur femelle et en transportant le pollen sur la fleur femelle au moment de la fertilisation. Il en résulte une forme particulièrement brutale de dépression consanguine, « universellement observée chez le maïs autofécondé », indique Shull [24].

Que se passe-t-il dans un champ dit « hybride » ? Les plantes se pollinisent bien les unes les autres mais, comme elles sont identiques, *leur fécondation croisée est en réalité une autofécondation à l'échelle du champ*. Exactement comme si l'on avait fait le travail titanesque d'ensacher chaque fleur mâle et chaque fleur femelle et de transporter le pollen de chaque plante sur la fleur femelle correspondante du même pied. Un champ dit « hybride » est donc une machine à autoféconder le maïs – c'est-à-dire à déprimer la génération suivante [1].

Deux observations : les populations d'hybrides naturels que cultivaient les paysans conservent leurs caractéristiques d'une génération à la suivante *en moyenne* bien qu'aucune des plantes du champ

1. Ainsi, lorsqu'on fait admirer l'uniformité d'un champ de maïs dit « hybride » à un agriculteur (exercice imposé de la formation agronomique), on le fait s'extasier de l'expropriation dont il est victime.

ne le fasse *individuellement*. La sélection permet d'*améliorer* de telles populations de maïs selon tel ou tel critère : ce que les agriculteurs-sélectionneurs américains du XIXe siècle et du début du XXe avaient bien montré [I]. Mais pour des sélectionneurs *professionnels*, améliorer des populations a un inconvénient rédhibitoire, toujours le même : ne pas interdire au paysan de semer le grain récolté.

À la fin de son premier article fondateur, présenté en 1908 devant l'Association américaine des sélectionneurs [II], Shull observe discrètement que son invention « rend nécessaire de retourner chaque année à la combinaison originale plutôt que de sélectionner dans la descendance les souches pour poursuivre l'amélioration ». Ce n'est qu'en janvier 1909 qu'il suggère que sa méthode peut permettre d'améliorer le maïs. En d'autres termes, il a avant tout découvert une technique d'*expropriation*, l'amélioration étant hypothétique. Il faut attendre son troisième article, en novembre 1909, pour le voir insister sur l'amélioration : « La production du rendement le plus élevé exige simplement de trouver la meilleure combinaison parentale, et ensuite de répéter cette combinaison année après année. »

Mais « trouver simplement la meilleure combinaison parentale » se révèle une tâche impossible : il faut d'abord autoféconder le maïs pendant au

I. Cette amélioration a été en particulier établie pour les caractères qualitatifs, facilement observables. Pour ce qui est d'améliorer un caractère quantitatif comme le rendement, c'est très difficile *en l'absence de méthodes fiables de statistique expérimentale* [25].

II. Des *sélectionneurs* et non des agriculteurs : un point que les hagiographes des « hybrides » négligent.

moins six générations jusqu'à l'obtention de « lignées pures », certes déprimées mais conservant désormais leurs caractéristiques d'une génération à la suivante parce que rendues homozygotes [I]. Le croisement deux à deux de ces lignées donne des plantes *ordinaires*, ayant une vigueur normale, mais « fixées » au sens où le sélectionneur *et lui seul* peut les reproduire puisqu'il possède ses parents en lignées pures, qu'il peut multiplier à volonté. Il peut donc appliquer la technique de l'isolement. En théorie, c'est brillant. En pratique, c'est inapplicable.

La phase d'autofécondation engendre un nombre astronomique de lignées qu'il est impossible de sélectionner car la seule façon d'en connaître la valeur *en croisement* est de faire les croisements. Une lignée chétive, qu'il faudrait pour ainsi dire mettre sous une tente à oxygène pour qu'elle survive, peut très bien donner une plante de maïs exceptionnelle en combinaison avec une autre lignée toute aussi chétive. Avec cent lignées seulement, un nombre ridiculement faible, le sélectionneur fait 4 950 plantes de maïs ordinaires *fixées* [II] qu'il doit ensuite tester une à une pendant plusieurs années et dans différents milieux pour déterminer la meilleure. Ce qui est impossible. Il ne reste qu'à faire « autant d'autofécondations que possible [26]», c'est-à-dire, pour des

I. On parle d'homozygote quand les deux copies d'un gène sont identiques. Ainsi, le croisement de deux plantes homozygotes pour les mêmes gènes donne une descendance indentique en tous points aux plantes parentes.

II. « n » étant le nombre de lignées pures, le nombre de plantes ordinaires de maïs que l'on peut faire est égal à « n fois (n-1) divisé par 2 ».

raisons de coût, très peu. En quelque sorte, la méthode consiste à faire un modèle très réduit de la population originale. De la même façon qu'un train modèle réduit ne peut transporter de passager, la meilleure plante reproductible que l'on peut extraire d'un tel modèle ne peut guère apporter d'amélioration. En fait, si les « hybrideurs » ont finalement réussi à extraire des plantes (fixées) supérieures aux populations *non sélectionnées* des paysans, c'est parce qu'ils ont fait autre chose [27].

Pour escamoter cette impossibilité pratique, Shull postule en 1914 un phénomène biologique nouveau, l'« hétérosis », selon lequel l'union de « gamètes différents » exercerait un effet favorable *en soi.* C'est sans doute la plus admirable mystification scientifique de ce siècle : sa technique de croisement devient la seule méthode d'*amélioration* du maïs. Dès lors, peu en importent le coût et les difficultés.

En ces débuts de la génétique, on ne pouvait rejeter l'hétérosis de Shull en dépit de son caractère peu vraisemblable. Ce n'est qu'en 1964 que des généticiens américains, Moll, Lindsey et Robinson, l'ont finalement infirmée *pour le rendement du maïs* [28]. Mais cette technique était alors si profondément enracinée que la recherche publique n'en a pas tiré la conséquence logique : améliorer désormais le maïs sans passer par les « hybrides » captifs. Au contraire, tous les efforts furent consacrés à bricoler cette technique d'expropriation pour qu'elle apporte, malgré tout, des améliorations et à l'étendre (au nom de la théorie toujours inexpliquée de l'hétérosis) à de nouvelles espèces.

LA GRANDE MYSTIFICATION

Rien ne témoigne mieux de l'incertitude d'une science en formation que la démonstration, expérimentale et théorique, que la dominance mendélienne explique à la fois la perte de vigueur pendant l'autofécondation et sa récupération en croisement. Dans une lettre à la revue *Science* datée du 6 novembre 1910, le biologiste britannique A. B. Bruce le suggère sur la base de considérations mathématiques [29]. Quelques jours plus tard, dans le premier numéro du *Journal of Genetics*, Keeble et Pellew, également britanniques, en apportent la preuve expérimentale sur le pois [30]. Pour améliorer le maïs, il n'a donc jamais été nécessaire de faire des « hybrides » captifs.

Aux États-Unis, Shull et East se disputent la priorité de la technique des hybrides. Toutefois, fin 1910, les deux rivaux passent alors un *accord secret*. Shull le révélera en 1942. Il s'agissait de « ne pas déclencher de controverse personnelle afin de ne pas empêcher le progrès du programme du maïs hybride [31]» – autrement dit, de promouvoir leur technique de sélection, dont ils pensent qu'elle leur ouvre les portes du panthéon scientifique. Pourquoi cet accord secret, que l'hagiographe du maïs hybride, Richard Crabb, présente comme le sacrifice de deux personnalités décidées à « ne pas laisser leurs sentiments obscurcir la discussion, la considération ou l'avancement des principes d'amélioration du maïs sur lesquels ils avaient travaillé, au moins jusqu'à ce que ces concepts soient acceptés ou complètement réfutés » [32]? La vérité est exactement opposée: cet accord a pour objectif d'écarter l'explication britannique qui sonne le glas de leur technique de sélection-expropriation. Une invention qui ne débouche sur rien n'en est pas une, et Shull a compris que seul un immense travail peut permettre à la technique de l'isolement d'aboutir dans le cas du maïs.

À la fin de 1910, lors du célèbre symposium de l'Université Cornell sur « L'hypothèse du génotype », Shull attaque, *sans en donner la référence*, l'hypothèse de « Mr A. B. Bruce » [33]. Shull et East étant les plus éminents généticiens du maïs, ils ont le pouvoir d'imposer leurs vues sur la scène américaine [1]. Une bataille d'autant plus facile à gagner que, pour les généticiens britanniques, le maïs est une curiosité botanique. Jusqu'ici, l'école britannique de génétique agricole s'en est tenue à la conception de ses prédécesseurs. À juste titre mais sans guère d'influence car, plus que jamais dans cette affaire, le profit prévaut sur des preuves scientifiques jamais décisives et un intérêt dit « général ».

UN NOUVEAU YÉTI SCIENTIFIQUE

En dialecticiens qui s'ignorent, certains généticiens actuels définissent maintenant l'hétérosis comme l'inverse de la dépression consanguine. Extraordinaire renversement : l'utilisation de la dépression consanguine pour rendre le maïs économiquement stérile devient l'utilisation de l'effet inverse pour l'améliorer !

1. Shull et East enseignent dans des universités prestigieuses, respectivement Yale et Harvard. Ils font parti des fondateurs de la revue *Genetics* (1916), dont Shull sera le responsable éditorial pendant les dix premières années.

Le succès durable de l'hétérosis auprès de biologistes tient également à ce que Shull leur proposait là un « programme de recherche [34] » : expliquer ce phénomène mystérieux qu'il avait *postulé* a constitué au fil des décennies une activité scientifique prospère, à laquelle on a sacrifié des forêts en livres, manuels d'enseignement, articles et rapports divers. Des carrières scientifiques se sont construites sur les tentatives, toujours infructueuses, d'expliquer les mystères de l'hétérosis. Remettre en cause cette vache sacrée de la recherche agronomique – qui est aussi la vache à profit de l'industrie « semencière » – heurte des intérêts scientifiques acquis et l'amour propre d'une communauté scientifique soudée autour de ses croyances – pour ne rien dire des formidables intérêts financiers reposant sur l'hétérosis. Et, depuis 80 ans, les généticiens agricoles se cassent les dents sur un phénomène « inexpliqué et inexplicable », ainsi que l'ont reconnu les spécialistes de cette question réunis en 1997 à Mexico par le Centre international d'amélioration du maïs et du blé dans un symposium – un de plus – consacré à « L'hétérosis dans les cultures » sans même se poser la question de savoir s'il ne s'agit pas d'un nouveau Yéti [voir encadré ci-après].

L'échec des tentatives pour mettre en évidence l'« hétérosis shullien » ne permet toutefois pas de conclure qu'il n'existe pas. Comment apporter la preuve définitive que quelque chose *n'existe pas*? Continuons donc à chercher [1]! Et surtout, derrière

1. Chaque nouvelle technique biomoléculaire fait d'ailleurs naître l'espoir de l'explication de l'hétérosis – espoir inévitablement frustré. Les

Inexplicable hétérosis

En août 1997, le Centre international d'amélioration du maïs et du blé (CIMMYT), à l'origine de la « Révolution verte », organisait une grande messe internationale sur « l'hétérosis dans les cultures ». Voici un échantillon de ce que les officiants généticiens et sélectionneurs ont dit de l'hétérosis.

Inexpliqué. Le symposium : « Nous ne comprenons vraiment pas grand-chose à la génétique, à la physiologie, la biochimie et aux bases moléculaires de la vigueur hybride ». Différents auteurs : « Les mécanismes génétiques à la base de l'hétérosis sont largement inconnus » ; « Que connaissons-nous réellement à propos des bases biologiques et des mécanismes de l'hétérosis ? Très peu » ; « Les causes de l'hétérosis aux niveaux physiologiques, biochimiques et moléculaires sont aujourd'hui aussi obscures qu'au moment de la conférence sur l'hétérosis de 1950 » ; « Bien que l'hétérosis ait été au centre de nos préoccupations pendant de nombreuses années, le phénomène n'est pas mieux compris maintenant qu'à l'époque du livre célèbre de Gowen, il y a 45 ans » ; etc.

Inexplicable. « Les bases génétiques exactes de l'hétérosis ne seront peut-être jamais connues ni comprises. »

Toutefois, « ce fait n'a pas empêché et ne doit pas empêcher d'en poursuivre l'utilisation ». Surtout pas ! L'inexpliqué et l'inexplicable n'expliquent-ils pas que l'on étende la mise en œuvre de cette technique d'expropriation du vivant aux pays du tiers-monde et à de nouvelles espèces ? Les parrains de ce vaudou scientifique ne s'y sont pas trompés : on y trouve le Bottin du complexe génético-industriel (Monsanto, Novartis, Pioneer, Asgrow, DeKalb, Cargill) et ses soutiens politiques comme la Banque mondiale et l'US Aid.

ce rideau de fumée, continuons à interdire aux agriculteurs de semer le grain récolté.

En proie à des difficultés politiques, Alcibiade fit, raconte-t-on, couper la queue de son chien. Interrogé sur la raison de son acte, il répondit : « Tant que les gens se poseront cette question, ils ne se préoccuperont pas des problèmes importants. » Vieille ruse.

Les producteurs français de maïs achètent chaque année environ 3 milliards de francs de semences de maïs « hybride » : elles leur reviennent près de 1 000 francs l'hectare soit l'équivalent de quinze quintaux de grain par hectare pour une quinzaine de kilogrammes semés, soient 6 000 francs par quintal de semence « hybride » – près de 100 fois le prix d'un quintal de maïs grain ! Si les producteurs pouvaient semer le grain qu'ils récoltent, les semences leur coûteraient au plus *quelques dizaines de francs par hectare*. Les discussions scientifiques ésotériques et interminables des vertus postulées de l'hybridité et de l'hétérosis ne permettent-elles pas, ici aussi, de détourner l'attention de l'immense surcoût des variétés *captives* et des gigantesques profits que les semenciers « hybrides » font aux dépens des agriculteurs ?

« En pratique, la connaissance de la génétique de l'hétérosis n'a pas été essentielle pour améliorer le maïs », confirme Coors, un des spécialistes lucides de la génétique du maïs [35]. C'est un euphémisme : l'hétérosis n'a, ici, qu'une fonction idéologique. Appliquer la technique de l'isolement

spécialistes se gardent bien de faire le détour épistémologique qui les éclairerait : ils ont trop intérêt à garder la question vivante.

au maïs exige (a) qu'il existe des différences et (b) qu'elles soient reproductibles. C'est tout. Le reste relève de l'idéologie, de cette fausse conscience qui exprime de façon rationnelle et déguisée les intérêts dominants. Il importe peu que ce déguisement se fasse ici sous la forme d'une théorie génétique « dure ». « En fait, plusieurs programmes d'amélioration du maïs à long terme, écrit Coors, ont produit des gains génétiques égaux ou supérieurs aux 60 kg/ha et par an obtenus en moyenne par l'industrie des semences de maïs. [36]» Autrement dit, la sélection aurait permis d'améliorer le maïs de façon plus rapide que la méthode de l'isolement, camouflée sous le nom d'« hybride » – sans les surcoûts de recherche et développement ni ceux de la production complexe, difficile et coûteuse des semences « hybrides ». Résultat de bon sens : pour améliorer les plantes et les animaux, il est certainement plus facile de s'appuyer sur la propriété fondamentale des êtres vivants de se reproduire que de s'y opposer.

Ainsi, la technique reine de sélection du XXe siècle se révèle-t-elle à l'examen comme un Terminator mystifié par la génétique, comme auparavant la sélection continue l'avait été par le darwinisme. Au XXIe siècle, la recherche agronomique ne s'apprête-t-elle pas à foncer dans l'agriculture chimérique avec le même aveuglement ?

LE XXIe SIÈCLE : L'AGRICULTURE CHIMÉRIQUE

Rien n'est plus révélateur du primat de la marchandise que la célébration extravagante du « miracle » des « hybrides » – terme devenu synonyme de « supérieur » – tandis qu'on ignore aux États-Unis comme en France le travail admirable des sélectionneurs de blé. Aux États-Unis, le rendement du blé a pourtant augmenté à un rythme deux fois plus rapide que celui du maïs pendant la période 1922-1946 qui va du choix politique de cette méthode de sélection à son succès dans la Ceinture de maïs. Pourtant, les « hybrideurs » passent pour des héros de la philanthropie scientifique et les sélectionneurs de blé sont restés anonymes. Mais les premiers avaient créé une nouvelle source de profit *aux dépens de l'intérêt public* quand les seconds avaient servi ce dernier sans créer de profit.

On peut donc craindre que la célébration tout aussi extravagante des exploits biotechniciens (crapauds anencéphales et lapins phosphorescents) et des miracles toujours prochains de l'agriculture chimérique ne soit, une fois encore, que celle du culte de la marchandise. Le procédé est éculé mais efficace, qui consiste à avancer les intérêts marchands sous couvert de progrès, de maîtrise du vivant, de droit à la connaissance et de philanthropie. Les biotechniciens classent d'avance leurs opposants parmi les obscurantistes et assimilent la destruction luddistes des cultures transgéniques aux autodafés nazis [voir encadré ci-après]. Cette solution de facilité leur évite de s'interroger sur les fonctions d'une technoscience devenu institution du capitalisme.

Le procès des « arracheurs de colza transgénique » à Foix le 5 septembre 2000 est révélateur de la fausse conscience des scientifiques [37].

Les chercheurs de l'INRA avaient mis en place à Gaudiès dans l'Ariège une culture de colza transgénique dans une zone infestée de ravenelle (espèce sauvage de la famille du colza et se croisant facilement avec lui). Il s'agissait de quantifier la dissémination de transgènes pour évaluer les risques de la culture du colza transgénique. En 1999, des paysans indiens et des militants de la Confédération paysanne et des Verts détruisaient la parcelle. Les chercheurs, leurs syndicats et la direction de l'INRA pour une fois unanimes ont dénoncé l'atteinte à la « liberté de la recherche » et au « droit aux connaissances » et vilipendé « l'obscurantisme » des arracheurs [38].

Clarifions cette affaire : 1. l'INRA faisait cette expérience pour le compte du Centre d'études interprofessionnel des oléagineux métropolitains, soit les industriels ; 2. les risques étaient connus et avaient été mis en évidence par les chercheurs ; 3. une telle expérience n'apportait rien car son échelle (un seul transgène, 15 000 m^2) ne permettait pas d'en extrapoler les conclusions à la culture de nombreux colzas transgéniques à l'échelle d'un pays (l'analyse de l'expérience canadienne « grandeur nature » – si l'on peut dire – de la culture de millions d'hectares de colza transgénique aurait été autrement pertinente) ; 4. c'est aux industriels de faire ces expériences avec leurs propres moyens, bien supérieurs à ceux d'une recherche publique paupérisée par les gouvernements successifs et détournée de ses tâches ; 5. invoquer le « droit aux connaissances » *en général* n'est que démagogie : pourquoi ces *connaissances-là* ? Pendant que l'INRA fait progresser des connaissances ouvrant le chemin de l'agriculture transgénique, il ne fait pas avancer celles qui permettraient de s'en passer.

LA SCIENCE COMME POURSUITE DE LA POLITIQUE PAR D'AUTRES MOYENS

Par son ésotérisme techno-scientifique, un OGM « résistant* » à un ravageur (c'est-à-dire une plante insecticide) est source de prestige pour son créateur et, plus prosaïquement, d'espèces sonnantes et trébuchantes – surtout depuis que les autorités politiques prônent la valorisation à titre privé des recherches faites dans le cadre du service public. De telles chimères reçoivent donc une couverture scientifique et médiatique appropriée à leur statut de marchandise « hi-tech ». Mais les innovations résultant d'une intelligence *collective*, associant savoir scientifique et savoir-faire paysan pour se prêter ensuite au partage, et convainquant la nature de travailler amicalement pour nous reçoivent un tout autre traitement. Elles ont, il est vrai, le défaut de détruire des « nouveaux » marchés et les profits correspondants. Car d'habiles méthodes agronomiques pour contrôler un ravageur ou supprimer l'utilisation d'un herbicide et les pollutions correspondantes ne rapportent rien à leurs inventeurs, vont à l'encontre des intérêts des transnationales et desserrent les contraintes qui emprisonnent les agriculteurs.

L'agriculture et l'agronomie modernes illustrent de façon caricaturale le processus de marchandisation de la société. Ainsi, « les agriculteurs ont besoin d'un pesticide pour éliminer un insecte devenu ravageur parce que les "mauvaises" herbes sur lesquelles il vivait ont été éliminées par les herbicides, lesquels ont été introduits pour supprimer le sarclage mécanique, lequel est interdit par l'augmentation de la densité de plantation, laquelle a été accrue parce que les plantes ont été sélectionnées pour leur productivité à haute densité, laquelle leur permet de tirer parti de l'utilisation massive d'engrais à bas prix, laquelle rend les plantes encore plus appétissantes aux ravageurs, et ainsi de suite [39]». À chaque pas, la recherche intervient, soulageant l'agriculteur de la contradiction immédiate du système de production qui le ligote ; chaque apaisement provisoire ouvrant de nouveaux marchés pour les semences, les engrais, les machines, les herbicides, les pesticides, etc. « De même que, dans un roman célèbre, la main greffée étranglait son receveur parce qu'elle obéissait toujours à son ancien possesseur, la “main invisible” du marché s'agrippe à la gorge du paysan qui, à chaque spasme, en resserre involontairement l'étreinte [40]. »

Comme les « hybrides », Terminator, le brevet du vivant et tant d'autres « progrès », cette agriculture chimérique nous vient des États-Unis, pays modèle aux yeux des élites politiques, technocratiques, scientifiques et professionnelles, maintenant acquises à « l'entreprise » – c'est-à-dire soumises à la logique du capital. Au lieu de s'attacher à comprendre les causes politiques du désastre alimentaire, agricole et médical actuel et de travailler à les éliminer (de l'obésité aux cancers, des pollutions agricoles [1] à la vache folle et à la destruction des campagnes), ces élites se défaus-

1. Comme le disent les Bretons, nos 60 000 éleveurs déversent chaque jour un Amoco Cadiz de lisier, fumier, purin et autre fientes.

sent de la question politique (au sens d'organisation de la cité) sur les scientifiques [1]. Elles s'imaginent et veulent faire croire que des chimères – de la thérapie génique aux porcs transgéniques aux déjections appauvries en azote – résoudront les problèmes que les « progrès » antérieurs ont créés.

Malheur au politique qui s'aviserait de trancher en matière scientifique ! Mais qui s'inquiète de l'intervention permanente des scientifiques en matière politique ? « Certains militants, déclarait le président de la Fondation Rockefeller, disent qu'il y a assez de nourriture dans le monde et que c'est simplement un problème de répartition. Mais c'est naïf. Je ne vois aucun signe que les riches de ce monde soient sur le point de distribuer leur richesse. [41] » Les riches n'étant pas partageux, les scientifiques doivent être les garants du statu quo.

« Nous devons, écrit Richard Lewontin, distinguer entre *agents* et *causes*. Les fibres d'amiante et les pesticides sont les agents de la maladie, mais il est illusoire de supposer que, si nous éliminons ces polluants, les maladies disparaîtront, car d'autres les remplaceront. Aussi longtemps que l'efficacité, la maximisation du profit ou l'accomplissement de normes de production centralement planifiées seront les objectifs des entreprises dans le monde entier, aussi longtemps que les gens seront prisonniers des besoins économiques et des régulations étatiques et condamnés à produire et consommer certains biens, alors un polluant remplacera l'autre. Des agences de régulation et des départements de

1. La multiplication des commissions et autres agences de sécurité – pour ne rien dire des comités d'éthique* – répond à cet objectif.

planification centrale calculeront des bénéfices et des coûts et évalueront en dollars la misère humaine. L'amiante n'est pas la cause du cancer. Il est l'agent d'une cause sociale, d'une formation sociale qui détermine la nature de la production et de la consommation dans nos vies, et, en définitive, ce n'est qu'en changeant ces forces sociales que nous pouvons atteindre la racine des problèmes de santé. Transférer la causalité des relations sociales aux agents inanimés qui semblent avoir un pouvoir et une vie propre est l'une des mystifications majeures de la science et de ses idéologies. [42]» On comprend le soutien sans faille des politiques à ces « sciences de la vie » qui les débarrassent des questions politiques en les « génétisant ».

Il y a quarante ans dans les écoles d'agronomie, on enseignait – c'est l'expérience de l'auteur – que la chimie, des engrais aux pesticides, allait maîtriser tous les problèmes agricoles. On sait ce qu'il en a été. On aurait pu espérer que cet échec suscite un renouveau de la pensée agronomique fondé sur l'écologie et une réflexion critique sur le rôle réel de la recherche agronomique. Il n'en a rien été. Sous sa forme génétique, ce renouveau réductionniste accélère la fuite en avant qu'on appelle « progrès » et permet d'empêcher l'examen des *causes politiques* du désastre. Cette raison seule suffirait à le rejeter en même temps que ses « solutions » transgéniques [43].

Mais ce n'est pas tout : porté par quelques transnationales, ce projet implique la privatisation du vivant, la confiscation d'un bien commun *aux dépens de l'humanité*. L'investissement des transnationales dans les biotechnologies* nous impose de réagir dans l'urgence.

L'EXPROPRIATION DU VIVANT : DE TERMINATOR AUX BREVETS

Côté pile, l'histoire des sciences agronomiques et de la génétique agricole présente comme philanthropiques et désintéressés les prodigieux gains de rendement depuis une soixantaine d'années, dans les pays industriels comme dans certains pays du tiers-monde. Côté face, l'analyse historique montre que, une fois de plus, ce n'est pas la philanthropie mais l'économie politique qui a mené la danse.

La première tâche fut de contribuer, au nom du « progrès » *quantitatif* (le gain de production et de rendement), à l'élimination des paysans et de la forme de production précapitaliste correspondante. Cette tâche historique s'étant achevée en France au début des années 1970, les sciences agronomiques ont connu une période de flottement [44]. Pourquoi, en effet, poursuivre l'accroissement des rendements en pleine surproduction ? Aussi, lorsqu'un nouveau président de l'Institut national de recherche agronomique (INRA), généticien et personnage charismatique, offrit au début des années 1980 le « tout génétique » aux sciences agronomiques à la fois comme programme de travail et comme nouvelle légitimité, celle d'une « science dure », le ralliement fut enthousiaste. La réduction du vivant à des briques élémentaires (les nucléotides A-T et G-C) dont la somme est supposée reconstituer un tout compréhensible est devenue l'objet scientifique par excellence. Et ce nouvel idéal a relégué la plante ou l'animal *dans leur milieu*, objets des sciences agronomiques traditionnelles, dans les ténèbres préscientifiques.

Peu importe qu'un tel programme abolisse l'objet réel. Comme l'écrivait ironiquement le professeur Thibault, l'un des plus éminents scientifiques de l'INRA, « il faudrait que les scientifiques de notre maison fassent preuve d'un grand courage et d'un exceptionnel génie pour arriver à intégrer les réponses d'une lignée de cellules, de préférence tumorales, et la formation d'un gigot de qualité [45]».

Le deuxième intérêt de ce réductionnisme « tout génétique » est de déboucher sur la brevetabilité du vivant, c'est-à-dire sur son expropriation. Pour cette confiscation, le complexe génético-industriel dispose maintenant d'une gamme de moyens, génétiques, contractuels, légaux et administratifs.

Si Terminator est une bourde politique, les « hybrides », si bien mystifiés jusqu'ici, restent d'actualité [46]. Surtout, la transgénèse permet de multiplier les méthodes d'expropriation discrètes, comme les techniques de restriction de l'utilisation des gènes (*genetic use restriction technologies*: GURTS) : placer l'expression des gènes d'intérêt agronomique sous le contrôle d'une clé chimique que l'agriculteur doit acheter pour que ces gènes fonctionnent. Ainsi le Rural Advancement Fund International (RAFI) a-t-il découvert que tous les agrochimistes semenciers avaient déjà leur propre version de ce Terminator pervers – par exemple, un herbicide produit par la firme qui a vendu les semences. Si l'agriculteur n'utilise pas cette clé coûteuse, la plante sera peu productive ou sensible aux maladies. L'Organisation des Nations unies pour l'agriculture et l'alimentation (FAO) a dénoncé Terminator mais estime les GURTS légitimes. En quoi faire des plantes (ou des animaux) handicapées est-il plus éthique que faire de plantes stériles ? Le RAFI a baptisé ces techniques Verminator ou Traitor. Elles sont d'abord criminelles : leurs auteurs n'ont plus l'excuse de ne pas savoir.

Il existe une version administrative de Terminator. En 1998, la Commission européenne a tenté, sous prétexte de traçabilité, de subordonner le versement de la prime de production de blé dur à l'achat de semences commerciales. Devant le tollé, la Commission a offert de mélanger une part de semences commerciales avec deux parts de semences de ferme. De deux choses l'une : ou bien les semences commerciales présentent un intérêt pour la collectivité et il faut en imposer l'usage, ou bien elles n'en présentent pas et il faut laisser l'agriculteur libre de faire comme il l'entend. Pourquoi la Commission ne verse-t-elle pas plutôt la « prime blé dur » directement aux transnationales ?

Les GURTS s'attaquent à la dimension immatérielle (logicielle) de la semence. Mais on peut aussi s'attaquer à son aspect matériel en grevant les semences de ferme d'un handicap physique par rapport aux semences industrielles. Depuis une quinzaine d'années, le complexe génético-industriel a fait preuve de beaucoup de créativité dans ce domaine.

En 1985, le ministre (socialiste) de l'Agriculture, M. Rocard, interdisait aux producteurs de semence-grain (les établissements multiplicateurs qui produisent des semences *commerciales* certifiées sous l'égide des sélectionneurs) de transformer le grain récolté en grain de semence à la demande des agriculteurs – ce qu'on appelle le tri à façon, méthode traditionnelle et peu coûteuse de transformation du grain récolté en semence. Cette première mesure ne suffisait pas. En 1989, le ministre (socialiste) de l'Agriculture, M. Nallet, tentait d'interdire tout tri à façon. L'agriculteur n'aurait plus que le « choix » entre des semences de ferme de *mauvaise qualité physique* et des semences industrielles de bonne qualité physique. Il s'attaquait ainsi à des petits entrepreneurs ruraux qui rendent un service important à la collectivité et aux agriculteurs [1].

En 1998, Novartis a refusé de vendre son pesticide de traitement des semences (Austral) aux agriculteurs et aux trieurs à façon. Ce produit, affirmait Novartis, pouvait occasionner des allergies s'il était manipulé sans précautions. À base de pyréthrénoïdes, il remplaçait le lindane que le ministère de l'Agriculture avait fini par interdire après que ce poison organo-chloré (de la famille du DDT) ait achevé sa carrière lucrative. Pour ce refus de vente, Novartis a perdu, le 14 avril 1999, le procès que lui avait intenté la Coordination nationale de défense des semences fermières (CNDSF), qui regroupe des organisations agricoles minoritaires. De leur côté,

1. Un hectare de céréale (blé ou orge) exige 150 kilogrammes de semences ; une exploitation cultivant 40 hectares de blé utilise 6 tonnes de semences. En se déplaçant de ferme en ferme avec leur équipement de tri et de traitement, les trieurs éliminent des transports routiers polluants et dangereux. Ils permettent à l'agriculteur de ne plus dépendre d'une filière de production de semences qui, malgré les contrôles, ne garantit pas des semences industrielles de meilleure qualité que des semences de fermes triées. Et même, semble-t-il, que des semences de fermes non triées : le Groupement national de l'industrie des semences, l'organisation professionnelle des « semenciers » publia les résultats d'un sondage selon lequel « 25 % des lots [de semences de ferme] sont aux normes des semences certifiées et 20 % sont même d'excellente qualité » [47].

les membres de la FNSEA [1] – Association générale des producteurs de blé (AGPB), Fédération des oléo-protéagineux (FOP) – et les sélectionneurs-obtenteurs de la SICASOV (les transnationales) appelaient, en août 1999, à taxer les semences fermières au profit... des transnationales.

L'extension du droit de brevet au vivant rendra obsolète toutes ces méthodes indirectes d'expropriation. Ce Terminator juridique fait payer par le contribuable les coûts de son expropriation. Aux États-Unis et au Canada, Monsanto traîne plus de 500 agriculteurs devant les tribunaux pour avoir semé ses semences « Biotech » (transgéniques) brevetées. Selon Monsanto, ces agriculteurs ont enfreint la clause contractuelle le leur interdisant. Même s'ils se sont procurés du grain de deuxième génération auprès de voisins – pratique courante d'échange de semences qui permet aux agriculteurs de faire leurs essais de variétés –, ces chimères étant brevetées, les utiliser comme des semences traditionnelles devient un « piratage ». L'agriculteur est donc passible des tribunaux même s'il n'a pas signé de contrat.

Pourquoi les agriculteurs acceptent-ils de se déposséder de la pratique de semer le grain récolté en signant un contrat avec Monsanto ? Un responsable de la vulgarisation agricole de l'Université d'État de Virginie et du ministère de l'Agriculture l'explique : « Traditionnellement, aux États-Unis, les entreprises introduisent une nouvelle variété

1. La Fédération nationale des syndicats d'exploitants agricoles (FNSEA) cogère la politique agricole de la France depuis une quarantaine d'années avec les conséquences que l'on sait.

que nos spécialistes du service de vulgarisation testent dans les champs pendant au moins 3 à 5 ans. Les spécialistes présentent la nouvelle variété aux agriculteurs et leur donnent une information objective sur ses qualités et défauts. Avec les variétés génétiquement modifiées, ce processus a été largement court-circuité du fait de la hâte des entreprises à construire leurs parts de marché. Maintenant, elles s'adressent directement aux agriculteurs avec des contrats et les spécialistes de la vulgarisation sont sur la touche. [...] C'est un cas classique de situation décrite dans la littérature, où le développement commercial et le marketing devancent de loin la science. [48]» C'est une manière d'éviter tout jugement indépendant des variétés transgéniques. Car l'agriculteur, qui ne dispose pas de protocoles expérimentaux rigoureux, ne peut juger par lui-même la qualité de ce qu'il achète. Or, les performances des variétés transgéniques sont plutôt inférieures à celles des variétés conventionnelles. Ce n'est pas surprenant car les firmes n'ont fait qu'ajouter aux variétés déjà cultivées un système de tolérance à leurs herbicides qui consomme une partie de l'énergie de la photosynthèse.

Observons que seules les chimères peuvent être brevetées, les semences traditionnelles faisant l'objet d'un certificat d'obtention végétale (COV) qui, malgré des restrictions récentes, reconnaît à l'agriculteur le droit de semer le grain qu'il récolte – non pas pour des raisons éthiques mais du fait du rapport de force politique, comme le déplorait en 1986 l'Union pour la protection des obtentions végétales (UPOV), organisme international chargé d'administrer le droit des obtentions végétales [49].

Pourquoi remplacer le certificat d'obtention par le brevet du vivant ? Parce qu'il procède d'une logique d'intérêt public. Conçu à la fin des années 1950 par de grands agronomes ayant une haute idée du service public (dont M. Bustarret, plus tard directeur général de l'INRA), le certificat d'obtention protège le sélectionneur du pillage de son travail *par ses concurrents*. Il contribue à moraliser un marché où la triche est particulièrement facile et dommageable. Il ignore la notion de gène et laisse chaque variété à la disposition de tous pour poursuivre le travail de sélection. Et, surtout, il ne s'attaque pas à cette malheureuse faculté des plantes : se reproduire dans le champ du paysan. Bref, il empêche les transnationales de faire main basse sur le vivant. Entre le certificat d'obtention dans sa version originale et le brevet sur le vivant, l'opposition est totale – bien que l'évolution du premier ait préparé le terrain idéologique sur lequel le second et ses mystifications technocratiques ont pu prospérer.

Le brevet est donc tourné *contre l'agriculteur*, contre la faculté des plantes et des animaux de se reproduire, et, par conséquent, contre chacun d'entre nous. Le brevet a pour objectif final de rendre les plantes et les animaux légalement stériles. Le brevet introduit une discrimination injustifiable en faveur des techniques de transgénèse – profitables pour les transnationales mais ruineuses et risquées pour la collectivité – aux dépens de techniques agronomiques utiles pour la collectivité, durables mais sans profit pour les transnationales.

L'Europe s'apprête à suivre servilement l'exemple américain avec sa directive 98/44 [lire infra, p.129]. Ainsi,

à lire

le processus historique d'expropriation du vivant commencé au début de la Révolution industrielle en Angleterre vers 1760 pour les animaux et un siècle plus tard pour les plantes est-il en train de s'achever sous nos yeux. C'est une étape majeure dans la dynamique du capitalisme. Quel est donc l'enjeu de cette « brevetabilité des inventions biotechnologiques » ?

LE PRIVILÈGE* D'UN CARTEL D'ENTREPRISES BIOCIDAIRES

La propagande du complexe génético-industriel et de ses relais technocratiques – compétitivité, progrès, maîtrise du vivant, etc. – aveugle les responsables politiques sur l'enjeu réel : le hold-up de quelques transnationales sur notre avenir biologique. De même que le soleil brille, les plantes et les animaux se reproduisent et se multiplient. C'est même la propriété fondamentale des êtres vivants. Quel malheur !... Prenons garde : selon cette logique, il n'y a aucune raison de ne pas nous faire condamner nos portes et fenêtres pour permettre aux marchands de chandelles de lutter contre la concurrence déloyale du soleil.

Supposons, hypothèse peu vraisemblable, que *seule* l'agriculture transgénique puisse résoudre certains problèmes agronomiques ou alimentaires *et* que seules des entreprises privées soient capables de trouver ces solutions transgéniques – hypothèse gratuite car l'*amélioration* est toujours venue de la recherche *publique*, la recherche privée se limitant le plus souvent à l'aspect cosmétique comme le démontrent si bien les « hybrides ». Le brevet est-il nécessaire ? Ne peut-on rémunérer l'activité inventive utile d'entreprises privées autrement qu'en leur créant un privilège dont l'histoire montre qu'il encourage la paresse et le gaspillage ? Pourquoi ne pas réunir agriculteurs, semenciers et consommateurs pour qu'ils discutent du taux de rémunération de l'investissement dans la création de variétés transgéniques apportant une amélioration – comme cela se pratique dans le cadre du système de protection des obtentions végétales géré par l'Union pour la protection des obtentions végétales (UPOV) ? Ce système constitue un bon compromis, il peut et doit être amélioré [50].

Pourquoi une société démocratique créerait-elle un privilège pour un cartel de transnationales au lourd passé en matière environnementale ? C'est la question politique à laquelle nous devons confronter nos gouvernants. Curieux « libéralisme » en effet que celui de nos gouvernants. La doctrine libérale considère comme un anathème tout privilège car il ne conduit pas à une société de liberté policée par la concurrence mais à une société policière de délation. Un privilège n'est-il pas une injustice pour l'immense majorité qu'il exclut ? Un privilège ne suscite-t-il pas le « piratage » ? Lequel appelle la répression, laquelle conduit à une société policière. Ainsi Monsanto fait-il aujourd'hui appel aux services de la célèbre agence de détectives privés Pinkerton pour débusquer les « pirates » et invite-t-il les agriculteurs à utiliser un numéro vert pour dénoncer anonymement leurs voisins « pirates »…

ARCHÉOLOGIE D'UNE FORMIDABLE RÉGRESSION

« Les OGM permettront de nourrir la planète en protégeant l'environnement. » À nouveau récemment entonnée par le PDG de Novartis France, cette assertion est la pièce maîtresse de la propagande du complexe génético-industriel et de ses affidés.

Nourrir la planète? Dans le tiers-monde, un grand nombre d'enfants de moins de cinq ans sont victimes de carences alimentaires, mais ce n'est pas du fait de pénuries alimentaires : 78 % d'entre eux vivent dans des pays disposant de surplus alimentaires [51]. Aux arguments classiques de ceux qui, comme le prix Nobel Armatya Sen, soulignent que la faim et la malnutrition ne sont pas dues à une insuffisance de la production mais à l'inégale répartition des richesses dans la société, au gaspillage, à l'absence de démocratie, il faut ajouter que le propre d'une agriculture capitaliste n'est pas l'insuffisance de la production mais ses excès. N'importe quel ministre de l'Agriculture en poste au cours des 40 dernières années dans un pays industriel en a fait l'expérience.

Le spectre agricole qui hante le XXe siècle est celui des excédents. C'est un problème lancinant aux États-Unis depuis la première grande crise agricole des années 1919-1924, en France et en Europe à l'issue de la Seconde Guerre mondiale – lorsque nos céréaliers inventent la « vocation exportatrice » de la France pour exporter leur blé à coups de subventions. La lutte des pays industriels contre la surproduction par la conquête de nouveaux marchés a déterminé la transformation de l'agriculture et de notre alimentation en même temps qu'elle contribuait à détruire notre paysannerie et celle du tiers-monde.

Indiquons les grandes lignes de cette transformation. Au cours de la Première Guerre mondiale, la mobilisation des hommes enlève des bras à l'agriculture au moment où le gouvernement américain l'incite à produire « de clôture à clôture » pour soutenir l'effort de guerre des Alliés. Les premiers tracteurs modernes produits selon les principes de la production de masse de Henry Ford entrent dans les champs en 1916-1917 alors que les agriculteurs consacrent 28 % de leur superficie à nourrir les animaux de trait. La quasi-totalité de la superficie cultivée en avoine est destinée aux chevaux qui consomment aussi 20 % de la production de maïs et une part importante des fourrages [52]. Dans le cœur agricole des États-Unis, la « Ceinture de maïs », la production s'organise autour d'un assolement maïs-avoine-fourrage et de ses variantes. Le maïs n'est pas vendu mais transformé en porcs. Cette agriculture heureuse de paysans autonomes dans un milieu social dense, entretenant des rapports distants avec le marché, connaît son âge d'or au cours des années 1909-1913.

On célèbre le tracteur (et plus généralement la motorisation) comme un progrès décisif. Du point de vue du capital, c'est un fait. Du point de vue du paysan, ce progrès ouvre une boîte de Pandore en le confrontant à deux problèmes, l'un agronomique, l'autre économique. Le premier consiste à remplacer l'avoine – dont le débouché est l'alimentation des chevaux de trait – dans la rotation de base maïs-avoine-fourrage. Le second est l'obligation de faire rentrer l'argent investi dans les tracteurs, les automobiles, les pièces de rechange, les carburants etc. La culture de remplacement doit être commerciale. Avec le tracteur (et l'automobile), le « marché » s'installe au centre de la production agricole paysanne. Il va la détruire.

À ces problèmes s'ajoute la menace de surproduction [voir graphique ci-contre]. La reconversion de la superficie cultivée pour les animaux de trait à la production d'aliments accroît, à terme, la production finale de près de 40 %. Du point de vue des ressources alimentaires, c'est *l'équivalent de la découverte et de la mise en culture d'un nouveau continent*. C'est là l'explication structurelle de la violence inouïe de la crise agricole des années 1930. On connaît la réponse à ce défi historique. Le soja, dont la culture se développe à partir de la fin de la Première Guerre mondiale, permet de compenser la disparition de la fumure animale : les légumineuses (soja, trèfle, luzerne, pois, etc.) fixent l'azote de l'air dans leurs nodules et contribuent à maintenir la fertilité. Le soja semble une plante de remplacement si prometteuse que, en 1927, le ministère américain de l'Agriculture envoie deux agronomes, W. J. Morse et P. H. Dorsett, en Chine pour y collecter des variétés (le « germoplasme »). Le *Yearbook of Agriculture* de 1961 précisera : « Au cours des deux années suivantes, ces agronomes collectent plus de trois mille sélections qui donnent aux États-Unis une banque de germoplasme de soja sans équivalent dans le monde. [1]» Ces ressources génétiques chinoises permettront de surmonter la crise.

1. En fait, les États-Unis sont dépourvus de ressources génétiques. La seule plante d'importance agronomique originaire d'Amérique de

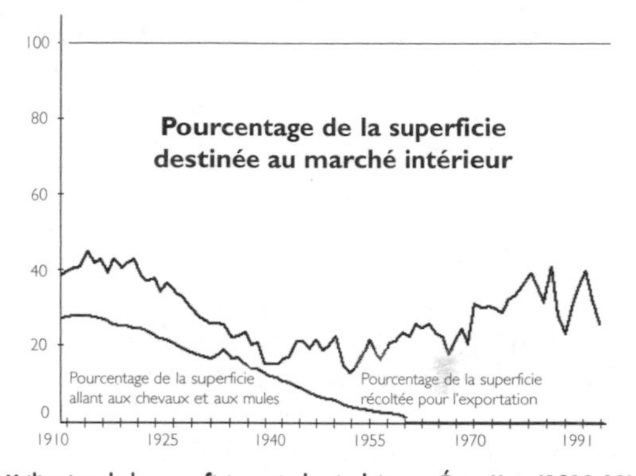

Utilisation de la superficie agricole récoltée aux États-Unis (1910-90)

Mais le soja est aussi une culture *commerciale* – à condition de lui créer son marché. Le tarif Hawley-Smoot de 1930, le plus protectionniste de l'histoire protectionniste des États-Unis, exclut les huiles tropicales du marché américain et ouvre à l'huile de soja des débouchés rémunérateurs à un moment d'engorgement général. Enfin, les recherches montrent que le sous-produit de l'extraction de l'huile, le tourteau, est riche en protéines miraculeuses. Mélangé en petite quantité au maïs et à d'autres ingrédients selon des formules scientifiques qui font l'objet de milliers de tests de nutrition, il réduit la quantité consommée de maïs par kilogramme de gain de poids (l'indice de consommation), accélère la vitesse de croissance des animaux (la rotation du

Nord est le tournesol. Son seul animal de ferme est la dinde. Mais jamais ce pays n'a proposé aux Chinois (ni à qui que ce soit) la moindre redevance sur le germoplasme qui lui a permis de construire son agriculture. Au contraire, les États-Unis veulent maintenant que le reste du monde leur verse une redevance sur ce qu'ils lui ont pris !

capital) et donne une viande moins grasse – au moment où les agriculteurs n'ont plus besoin de suif, car l'électricité arrive dans les fermes. C'est le point de départ d'une baisse historique du coût des viandes, de l'augmentation correspondante de leur consommation et de l'industrialisation de l'élevage. C'est aussi l'essor d'une organisation sociale nouvelle du monde paysan : l'intégration contractuelle. Les agriculteurs deviennent des travailleurs à domicile, sans droits ni protection sociale, ni même salaire garanti. Ce modèle socio-technique s'imposera en Europe à la fin des années 1950. L'Europe suivra sur tous les plans. Protégeant ses céréales pour les transformer en viande grâce aux protéines de soja américain, la Communauté puis l'Union européenne sacrifieront constamment la nécessité agronomique et économique de développer les cultures d'oléagineux et de protéagineux aux intérêts exportateurs des céréaliers alliés à ceux des producteurs de soja américains [1].

C'est le modèle « gaspilleur » qui domine maintenant le système alimentaire mondial, pour la plus grande accumulation du capital, aux dépens de l'environnement et des hommes.

1. L'interdiction des farines animales va sans doute imposer de recourir aux importations de soja transgénique américain ou argentin. Car les technocrates européens ont accepté à Berlin de plafonner la production européenne d'oléagineux à 4,9 millions de tonnes.

L'AGRICULTURE TRANSGÉNIQUE EST INUTILE : LES ALTERNATIVES DURABLES & ÉCOLOGIQUES EXISTENT

Il n'existe pas de problème agronomique ou alimentaire que l'on ne puisse résoudre avec élégance suivant les méthodes traditionnelles de l'agronomie – encore faudrait-il qu'il restât des agronomes dans la recherche agronomique et un savoir paysan dans les campagnes. Les ersatz hi-tech sont au contraire une fuite en avant qui élimine toute solution durable – qu'il s'agisse des agricultures paysanne, biologique, biodynamique ou, dernier contre-feu officiel, simplement « raisonnée » [53].

Prenons un exemple, celui de la lutte contre la pyrale du riz en Camargue. Un chercheur, Jean-Benoit Peltier, faisait observer qu'un broyage fin des pailles permettrait de lutter contre cette maladie en supprimant l'habitat d'au moins une génération de larves pendant la période hivernale. Une combinaison de techniques agronomiques (recours à des résistances naturelles, pratiques culturales appropriées, lutte biologique) permettrait selon lui de vivre en bonne intelligence avec cet insecte. Pourtant, les efforts du CIRAD vont à la solution transgénique d'un riz insecticide Bt, sans études approfondies de la biologie et de l'écologie de la pyrale. Soulignant que le cloisonnement et les rivalités entre disciplines conduisaient à des solutions simplistes – le biotechnicien propose sa plante insecticide*, le chimiste son pesticide, etc. –, Peltier mettait le doigt sur un problème clé : « Bon nombre de pratiques culturales ne sont efficaces que si elles sont raisonnées et appliquées à l'échelle d'une région et d'un pays. [54]» De telles solutions se heurtent à la sacro-sainte propriété privée et à l'individualisme des agriculteurs que la concurrence dresse les uns contre les autres.

Après que j'eus mentionné l'exemple de la pyrale du riz à l'occasion d'une conférence à Toulouse, une agricultrice m'indiqua avoir fait la même observation pour le maïs : le broyage des tiges et un passage de disques pour déterrer les tiges et les exposer au gel de l'hiver limitent les infestations de pyrale. La brochure « Les OGM : enjeux et risques », distribuée lors du débat contradictoire organisé par la bio-industrie le 11 septembre 2000 à Strasbourg confirme l'existence d'alternatives agronomiquement intelligentes : « Le broyage mécanique des tiges et leur enfouissement, lit-on, sont également un moyen alternatif de "limiter les dégâts" causés par la pyrale », lesquels sont en tout état de cause mineurs puisqu'ils représentent « 5 à 10 % des récoltes » [55]. Le dernier mot revient au président de la Confédération paysanne du Tarn qui résumait la question d'une formule limpide que l'on peut généraliser : « La pyrale du maïs est le ravageur des mauvaises pratiques culturales. »

On connaît également des sources de résistance aux insectes foreurs dans les populations caribéennes de maïs. Mais l'INRA ne dispose pas des sommes modiques que demandent ses chercheurs pour de telles études : l'INRA travaille sous contrat avec Ciba-Geigy (maintenant Novartis) sur le maïs insecticide Bt. Alors chef du département de zoologie, l'actuel directeur des productions végétales de l'INRA avait préfacé une brochure de Ciba-Geigy à la gloire du maïs Bt étudié par son laboratoire : « Au-delà d'une forte contribution à la création de biopesticides* ou de variétés tolérantes, écrivait-il, les biotechnologies sont l'occasion d'un utile renforcement des liens entre la recherche publique et le secteur privé. On ne peut que se réjouir de l'édition de cette plaquette qui s'inscrit parfaitement dans cette logique et contribuera à l'émergence d'une maïsiculture moderne, raisonnée, intégrée, compétitive et toujours plus respectueuse de l'environnement. [56] »

Peu nombreux sont les agronomes et écologistes qui partagent cet enthousiasme. Ils tiennent au contraire cette « maïsiculture moderne » pour agronomiquement et écologiquement déraisonnable dans la plupart des régions de notre pays : pollution par les engrais, pesticides et herbicides ; irrigation subventionnée conduisant à l'épuisement des nappes phréatiques, au pillage de l'eau des rivières et au gaspillage d'une ressource précieuse ; érosion des sols dépourvus de végétation en hiver ; incitation à l'intensification de l'élevage et à sa concentration, etc. En outre, la compétitivité de cette « maïsiculture moderne » provient d'abord de sa capacité à pomper les subventions et à faire appliquer le principe pollué-payeur. Pour ne prendre qu'un exemple : l'eau de Maubourguet (Gers) est si polluée par l'atrazine, le désherbant de cette maïsiculture « toujours plus respectueuse de l'environnement », que son maire, notre ministre de l'Agriculture, a dû en interdire la consommation jusqu'à la construction d'une station de filtration sur fonds publics. Toute la Bretagne est dans ce cas. Quant à « l'intégration », elle désigne le contrôle qu'exercent trois firmes sur la génétique du maïs et donc l'ensemble de la filière, ce qui coûte aux maïsiculteurs au moins 2 milliards de francs. Pour rien.

Dans une dépêche de l'AFP du 15 avril 2000, des chercheurs de l'Institut de recherche pour le développement (IRD) et de l'International Rice Research Institute (IRRI) révèlent implicitement la légèreté scientifique des biotechniciens. Ayant analysé des ravageurs du riz et ses maladies, ils affirment que leur pouvoir de nuisance est « très peu étudié » et montrent que « de nombreuses croyances sont infondées ». Selon Serge Savary (de l'IRD), « les mauvaises herbes causent 10 à 20 % des pertes de récolte ; divers champignons (parasites des feuilles ou des graines) 5 à 10 % ; certains insectes (différentes espèces de pyrales en particulier) 0,1 à 5 % ; des bactéries 0,1 à 1 % ; et une maladie virale, le tungro, moins de 0,1 %. [...] Ces résultats sont loin des estimations qui ont généralement cours. Ainsi, les insectes ne sont pas aussi nuisibles qu'on le prétend généralement. En revanche, les mauvaises herbes apparaissent comme les plus néfastes à la productivité des rizières. Le tungro, enfin, est loin de constituer une nuisance majeure comme on l'a souvent cru. [... Pourtant], des laboratoires américains ont élaboré du riz transgénique incorporant le gène Bt de résistance à un insecte ravageur [foreur de tiges], une très mauvaise cible [...] De même, la Fondation Rockefeller a investi massivement pour produire des variétés transgéniques résistantes au tungro, une maladie du riz provoquée par deux virus. Or ces virus peuvent anéantir un champ, mais leur présence géographique a été surévaluée : c'est un effort superflu [57]». Cet institut souligne également l'efficacité des gènes de résistance naturels issus de la sélection des variétés de riz et surtout la nécessité de préserver précieusement les souches originelles de ces gènes. « Mais les chercheurs qui s'occupent de gènes conventionnels [issus de la sélection naturelle] ne sont pas à la mode et n'ont plus de fonds : l'Union européenne vient ainsi de couper les crédits de l'IRRI [1], gestionnaire de la banque de gènes du riz. On utilise aujourd'hui des technique fort chères [de génie génétique*] sans même savoir quelle est la bonne cible. [58]»

Les chercheurs de l'IRD posent ainsi *le* problème clé, celui de l'autoréalisation des prophéties du complexe génético-industriel relayées par une communauté de biotechniciens dont l'arrogance exaspère jusqu'à leurs collègues. Existe-t-il un moyen plus sûr d'assurer le triomphe des solutions transgéniques que de supprimer toute alternative ? Au nom des promesses extravagantes d'un réductionnisme de laboratoire, on néglige le savoir de l'agronome qui, appuyé sur celui du paysan, sait jouer sur la complexité du milieu physique, social et technique, sur les interactions entre les rotations des cultures, la nature du sol et le milieu

1. Fondé en 1958 aux Philippines par les Fondations Rockefeller et Ford, l'IRRI (centre international de recherches sur le riz) a mis au point les premières variétés de riz à haut potentiel de rendement. Ces succès furent appelés « Révolution verte » – par opposition à la révolution rouge qui « menaçait » alors l'Asie. En six ans à peine, l'IRRI réussit à créer ces variétés grâce aux connaissances sur l'agronomie du riz accumulées par les Japonais (sa première tâche fut de traduire la littérature agronomique japonaise) et aux variétés japonaises à paille courte (le germoplasme). L'IRRI fait maintenant partie du réseau de centres internationaux de recherche agronomique.

écologique pour construire des systèmes de production robustes et capables d'autorégulation. La propagande transgénique conduit à l'abandon des travaux de biologie, d'agronomie et d'écologie qui permettraient de perfectionner les méthodes agronomiques efficaces et durables déjà disponibles.

Voici quelques exemples récents de créativité agronomique qui s'opposent au réductionnisme des biotechnologistes. Dans le *Farm Journal*, un agriculteur explique comment il combine un semis en rangs étroits (pour étouffer les mauvaises herbes) et un sarclage mécanique avec un dispositif de son invention, pour contrôler les mauvaises herbes. Guère besoin d'herbicide et encore moins de soja biotech tolérant à l'herbicide [59]. Charles Benbrock, spécialiste et consultant en défense intégrée des cultures, montre qu'aux États-Unis des méthodes agronomiques intelligentes permettent de réduire de façon drastique l'usage d'herbicides dans la culture du soja alors que les variétés transgéniques tolérantes aux herbicides en accroissent l'utilisation [60]. Un récent travail en Chine montre que l'on peut contrôler la diffusion des champignons pathogènes en semant des variétés différentes, apportant ainsi de spectaculaires gains de production [61]. L'utilisation rationnelle de la biodiversité est la voie royale pour sortir de l'actuelle monoculture chimique dont l'agriculture transgénique prend la suite. En Angleterre, le professeur Dennis Murphy du John Innes Center souligne que les avancées de la cartographie génétique (la génomique) peuvent permettre de se passer de la transgénèse en rendant la sélection conventionnelle plus efficace [62].

A contrario, aux États-Unis, la rotation maïs-soja s'est avérée trop simple pour contrôler la chrysomèle des racines du maïs (Western corn rootworm, *Diabotrica virgifera virgifera LeConte*). Non seulement ce ravageur se répand hors de son milieu d'origine, l'ouest des États-Unis, mais il a également appris à se nourrir de soja. Cette monoculture par alternance a donc fini par créer un nouveau ravageur du soja [63]. Le simplisme des solutions transgéniques décourage la recherche de solutions agronomiquement complexes, certes mais durables et écologiquement sûres qui libéreront les agriculteurs de la tutelle des transnationales.

Une autre démarche scientifique est possible et nécessaire : fondée sur le travail en commun et non sur l'individualisme, sur la coopération entre savoirs et non sur leur hiérarchie, sur la diversité et non sur la spécialisation, sur une division écologique du travail et non sur le primat des économies d'échelle, sur une collaboration amicale avec la nature et non sur sa maîtrise, sur l'enracinement dans les sols et les terroirs et non sur la volonté de « s'en affranchir [1]», bref sur l'autonomie des agriculteurs et non leur soumission [65].

1. Les terres de l'École nationale supérieure d'agronomie de Montpellier étaient épuisées et contaminées par les produits chimiques jusqu'à quatre générations de vigne. Il fallait « s'en affranchir ». Pour cela, « après avoir enlevé l'ancien sol sur 1,50 mètre de profondeur, la nouvelle parcelle a été isolée du substratum par une bâche en polyane. Ensuite ont été mises en place différentes couches minérales, d'abord à base d'éléments grossiers, puis une zone tampon de sable et un substrat mixte (sable fin-petites graves) ont été apportés sur le site pour faciliter le développement du nouveau vignoble. Un système d'irrigation en goutte à goutte (avec pilotage automatique) sera également installé. Enfin, le contrôle des effluents sera assuré par un dis-

LES MENSONGES DE LA « DEMANDE SOCIALE »

Le succès futur de l'agriculture transgénique repose sur des roublardises sémantiques. L'une d'elles est la « demande sociale » chère à la direction générale de l'INRA. Le cas des « hybrides » illustre le mécanisme de cette mystification. D'un côté, l'agriculteur et le public demandent des variétés plus productives par unité de coût. Mais ils ignorent les possibilités scientifiques et techniques permettant de les faire, et ils ne peuvent compter sur les scientifiques – y compris « publics » – pour les leur expliquer. De l'autre, l'investisseur-sélectionneur veut maximiser son retour sur investissement. Ayant les moyens de connaître les possibilités scientifiques et techniques, celui-ci choisit évidemment le type de variété *qui lui est le plus profitable*. C'est ainsi que la méthode d'expropriation par les « hybrides » a remplacé les méthodes d'amélioration des plantes (et des animaux). C'est ainsi que la transgénèse s'impose aujourd'hui aux dépens des alternatives agronomiques durables. Avec l'appui d'une recherche publique naïve, complaisante et à court d'argent – ou, comme c'est le cas maintenant, politiquement soumise et résignée car privatisée de fait –, l'investisseur-sélectionneur fait mettre exclusivement en œuvre par l'État (à ce stade, il vaut mieux socialiser les coûts) la technique qui lui sera le plus profitable. Enfin, la propagande lui permet de travestir ce qui lui est le plus profitable en ce qui est le plus

positif technique particulier. Toute cette infrastructure innovante permettra d'accueillir un vignoble pédagogique [64]».

utile pour le public. Et c'est ainsi que le choix des investisseurs transforme la « demande sociale » de meilleures variétés en demande d'« hybrides ».

La « demande sociale » est l'alibi de la transformation par les investisseurs de notre désir d'un monde meilleur en un monde plus profitable. Dans tous les domaines de notre vie, la science et la technique reproduisent cette mystification parce qu'elles *sont maintenant plus que jamais des outils au service du profit et du contrôle social*, et que nous n'avons pas les moyens d'exercer une vigilance démocratique sur ce qui se passe dans les laboratoires. La neutralité et l'objectivité proclamées de la science sont le moyen de la soustraire à nos regards. La longue domestication marchande de la science et des scientifiques a produit ce renversement historique par lequel le scientifique se sent libre lorsqu'il travaille pour Monsanto tandis qu'il ressent le regard citoyen comme une insupportable atteinte populiste et irrationnelle.

Les OGM font l'objet d'un rejet massif. Qu'importe ? La transgénèse absorbe une part croissante des crédits publics – priorité a été donnée au projet Génoplante [lire infra, p. 127]. Les grands agronomes-sélectionneurs qui partent à la retraite sont remplacés par des « génomistes » rivés à leurs écrans d'ordinateur. Et, pendant ce temps, les recherches sur des questions aussi fondamentales que la microbiologie des sols disparaissent : la pellicule vivante de terre dont tout dépend n'intéresse plus les « agronomes scientifiques » [1]. Ainsi les

1. On ne connaît qu'à peine 20 % des organismes qui vivent dans le sol. Mais à quoi bon les étudier si le sol est considéré comme un

solutions chimériques finiront-elles sans doute par s'imposer. L'agriculteur, faute de choix, les adoptera. Comme pour les « hybrides », la demande sociale aura été ainsi créée.

Pourtant, quatre spécialistes sud-africains du blé hybride avaient déjà vendu la mèche en 1997 : « La possibilité de produire du blé hybride a suscité de l'enthousiasme comme pour toutes les autres espèces. En dépit des succès extraordinaires pour les autres espèces, on n'a pas réussi, en trente ans, à vendre d'hybrides de blé. Cette situation malheureuse est due au succès d'une recherche publique hautement concurrentielle qui a réussi à améliorer régulièrement le blé avec les techniques et procédures conventionnelles. [66]» Pour que le blé « hybride » s'impose, il faut donc sacrifier l'amélioration à l'expropriation et l'intérêt de l'agriculteur et du public à celui de l'investisseur. N'est-ce pas le prix à payer pour que s'impose l'agriculture transgénique ?

Replacée dans sa perspective historique, l'agriculture chimérique pose la question de notre capacité politique à contrôler une science et des techniques qui ne servent maintenant, le plus souvent à l'insu des chercheurs eux-mêmes, que les intérêts économiques et financiers *aux dépens de l'humanité*. Il ne s'agit donc plus d'une question que des scientifiques pourraient trancher. Comme le nucléaire et l'industrie chimique, l'agriculture transgénique introduit une transformation radicale de la pratique scientifique : ce n'est plus le monde que les scientifiques enferment dans leurs

---

support inerte tout juste bon à absorber les poisons chimiques de l'agriculture moderne.

laboratoires, mais le monde lui même qui devient laboratoire. *Tout ce qui vit devient cobaye.*

Voici ce qu'écrivait Louis Pasteur à Pedro II d'Alcantaja, Empereur du Brésil, le 22 septembre 1884 : « Si j'étais roi ou empereur ou même président de la République, voici comment j'exercerais le droit de grâce sur les condamnés à mort. J'offrirais à l'avocat du condamné, la veille de l'exécution de ce dernier, de choisir entre une mort imminente et une expérience qui consisterait dans des inoculations préventives de la rage pour amener la constitution du sujet à être réfractaire à la rage. Moyennant ces épreuves, la vie du condamné serait sauve. [...] Ceci m'amène au choléra dont Votre Majesté a également la bonté de m'entretenir. [...] On devrait pouvoir essayer de communiquer le choléra à des condamnés à mort. Dès que la maladie serait déclarée, on éprouverait des remèdes qui sont considérés comme les plus efficaces, au moins en apparence. J'attache tant d'importance à ces mesures que si Votre Majesté partageait mes vues, malgré mon âge et mon état de santé, je me rendrais volontiers à Rio de Janeiro, pour me livrer à de telles études de prophylaxie de la rage ou de la contagion du choléra et des remèdes à lui appliquer. [67]»

L'empereur du Brésil refusa. Nos gouvernants refuseront-il que nous soyons les cobayes d'un cartel de transnationales biocidaires ?

JEAN-PIERRE BERLAN

Santé publique, environnement & aliments transgéniques

DANS LA PLUPART DES PAYS DÉVELOPPÉS, la loi impose d'étiqueter la composition des aliments, les additifs (conservateurs, colorants, exhausteurs de goût, etc.), le mode de transformation (surgélation, homogénéisation, irradiation) et le standard d'identité (l'origine, par exemple). Les États-Unis demandent, en plus, de préciser la teneur en lipides, protéines, sucres et vitamines. Mais ils se refusent à imposer d'étiqueter les aliments transgéniques. La raison ? les aliments transgéniques seraient « substantiellement équivalents* » aux aliments non transgéniques. Les États-Unis vont jusqu'à faire pression sur leurs partenaires commerciaux et sur le *Codex alimentarius*[1] pour qu'ils adoptent ce principe dit de l'« équivalence en substance ». Avec un certain succès puisque

1. Le *Codex alimentarius* est une agence de l'Organisation mondiale de la santé (OMS) et de l'Organisation pour l'agriculture et l'alimentation (FAO) au sein de laquelle se négocient les normes alimentaires. Bien que ses recommandations ne soient pas obligatoires, son rôle est essentiel : si un pays adopte une règle du *Codex*, elle ne peut être considérée comme protectionniste. [ndt]

les gouvernements européens ont traîné les pieds jusqu'à ce que l'opinion publique impose cet étiquetage en 1999. En France, les pressions américaines ont été relayées par la Commission du génie biomoléculaire : « Il n'y a aucune raison, écrivait son président, Alex Kahn, pour considérer le génie génétique comme une technique générique intrinsèquement perverse, mettant en danger la sécurité du consommateur. [La commission] en a conclu que l'information sur l'éventuelle utilisation du génie génétique n'était pas significative pour le consommateur et qu'il ne lui apparaissait donc pas justifié de la rendre obligatoire. [1] »

Outre que cette commission simplement consultative outrepassait son rôle (accorder ou refuser les autorisations de dissémination volontaire et de commercialisation des OGM*), elle témoignait de son mépris de la démocratie : le public a le droit de savoir. Sans une information complète – qui devra un jour s'étendre à la façon de produire : quels pesticides ont été utilisés ? les animaux sont-ils élevés à coups d'antibiotiques, d'hormones, de farine animales, d'OGM ? en liberté ou confinés dans des cages ? par de la main-d'œuvre sous-payée ? – comment le consommateur souverain (paraît-il) sera-t-il à même d'« exprimer ses préférences » et d'orienter la production comme les thuriféraires de l'économie de marché prétendent qu'il le fait ?

En réalité, les chimères génétiques* posent des risques de deux types : pour la santé et pour l'environnement.

LES RISQUES POUR LA SANTÉ

Pour toute personne sensée, une fraise qui contient un gène d'un poisson des mers froides (le carrelet) la rendant résistante au gel, un gène bactérien lui conférant une résistance aux antibiotiques et un gène viral jouant le rôle d'un interrupteur du fonctionnement des gènes introduits est fondamentalement différente d'une fraise ordinaire [2]. Car un fraisier n'échange de gènes qu'avec un autre fraisier – avec des plantes de la même espèce. Le génie génétique est donc radicalement nouveau, qui permet de transférer à n'importe quel organisme vivant des gènes présents dans des bactéries, des poissons, des plantes, des animaux et dans l'espèce humaine.

Les biotechniciens et les entreprises qui mettent au point ces chimères génétiques prétendent qu'une fraise contenant des gènes étrangers serait « substantiellement équivalente » du point de vue du *Codex* et des règles internationales et, par conséquent, qu'elle n'exige pas d'étiquetage particulier [1]. Le public – et particulièrement les consommateurs par l'intermédiaire de leurs organisations, de leurs pétitions et des sondages – a, de son côté, toujours jugé que cette fraise (comme tous les aliments transgéniques) était « substantiellement différente » : il fallait l'étiqueter au même titre que les aliments « ionisés » (irradiés) ou ceux qui contiennent des additifs. Position partagée par une partie des scientifiques : un article récent de *Nature*

1. Cette différence est pourtant suffisante pour breveter la fraise-poisson – ce qui est impossible dans le cas des fraises conventionnelles ! [ndt]

estimait que « l'équivalence substantielle est un concept pseudo scientifique : un jugement commercial et scientifique se présentant sous une mascarade scientifique [3]».

Le principe de l'équivalence substantielle a permis de négliger le fait que les aliments transgéniques peuvent avoir des effets toxiques inattendus, provoquer des réactions allergiques parfois sévères et présenter une valeur nutritionnelle modifiée.

EFFETS TOXIQUES DES OGM

L'un des tout premiers produits transgéniques vendus, le l-tryptophane, a montré que le génie génétique peut avoir des conséquences désastreuses. Cet acide aminé produit de façon conventionnelle était commercialisé comme supplément diététique dans nombre de pays, y compris les États-Unis. Au cours des années 1980, l'entreprise japonaise Showa Denko mit au point un nouveau procédé de fabrication du l-tryptophane : utilisation d'une bactérie génétiquement modifiée (*Bacillus amyloliquefaciens*) et suppression de deux étapes de filtration. La nouvelle version du l-tryptophane est commercialisée aux États-Unis début 1989. Une nouvelle maladie apparaît au bout de quelques mois : baptisée syndrome de la myalgie éosinophile (SME), elle se caractérise par des désordres neurologiques et auto-immunes chroniques. Conséquences : 5 000 personnes hospitalisées, 1 500 handicapées de façon permanente et 37 décès [4]– chiffre sous-estimé car le décompte des morts est arrêté en 1991.

On découvre que la myalgie éosinophile est liée à la consommation de l-tryptophane. L'agence américaine de sécurité sanitaire retire ce produit du marché début 1990. La poursuite des recherches montre que les malades avaient consommé le tryptophane produit par Showa Denko. L'étiquetage aurait sans doute permis d'identifier plus rapidement l'origine de la maladie. Mais Showa Denko refusa toute coopération avec le gouvernement américain. On a cependant pu démontrer que son l-tryptophane contenait de faibles quantités d'un contaminant toxique qui pouvait être le sous-produit de l'accroissement de la production de tryptophane par la bactérie manipulée, la conséquence de la réduction du nombre de filtration ou une combinaison des deux [5]. Nous ne le saurons probablement jamais car un incendie a détruit les stocks de bactéries recombinées.

Le génie génétique peut aboutir à la production de produits alimentaires toxiques de multiples façons. Des plantes aussi communes que la tomate ou la pomme de terre produisent dans leurs feuilles des produits toxiques absents des fruits ou des tubercules. Il faut donc prendre garde à ce que les modifications génétiques introduites dans la plante n'induisent pas l'apparition de ces produits dans les parties comestibles, ni immédiatement, ni à plus long terme.

De plus, les bricolages génétiques (particulièrement imprécis en ce qui concerne l'endroit de l'insertion et le nombre d'insertions de l'ADN dans le chromosome-hôte) peuvent avoir des effets inattendus – l'effet de position – comme la production d'une toxine que la plante ne produit pas

En août 1998, Arpad Pusztai, spécialiste international des lectines, chercheur au Rowett Institute depuis 35 ans, est suspendu, menacé de poursuite judiciaire s'il parle de ses travaux, enfin licencié. Ses données sont confisquées, ses communications censurées, son travail arrêté et l'équipe dispersée. La faute : avoir dit à la télévision que des rats nourris de pommes de terre transgéniques souffraient de problèmes immunitaires et de croissance ; que ce résultat était préoccupant car les Britanniques consommaient depuis au moins deux ans du soja, du maïs et des tomates transgéniques *n'ayant fait l'objet d'aucun test.*

En 1990, les travaux de Pusztai sur une protéine, la lectine GAN (susceptible de renforcer les capacités de défense des plantes), en avaient montré l'innocuité sur des rats nourris d'aliments contenant cette lectine à des doses plusieurs centaines de fois supérieures à celles présentes dans des plantes transgéniques. Ce résultat incita l'entreprise Axis Genetics (ex-Pestax Ltd) à utiliser le gène GAN. En 1995, les autorités britanniques programment une étude pour *démontrer l'innocuité* des plantes transgéniques. Préférant le projet de Pusztai à 28 autres, elles le financent à hauteur de 16 millions de francs : *tout le monde (y compris Pusztai) croyait alors qu'il ferait la preuve de l'innocuité de la transgénèse.*

Les représailles de l'Institut Rowett (financé à hauteur de 1,5 million de francs par Monsanto et en négociation pour un gros contrat au moment de l'interview télévisée) s'accompagnèrent d'une campagne de destruction de la crédibilité scientifique de Pusztai orchestrée par l'establishment scientifique – particulièrement l'Académie royale des sciences. Malgré les pressions, le prestigieux journal médical *The Lancet* publie les résultats de Pusztai en octobre 1999. Les spécialistes pourront juger. Gageons simplement que si Pusztai avait montré l'innocuité des pommes de terre transgénique, son travail aurait été encensé par la science, les marchands et les médias.

JEAN-PIERRE BERLAN

À partir d'une interview du professeur Pusztai, le 25 octobre 2000 naturellement. Ainsi des plantes de tabac transformées pour leur faire produire de l'acide gammalinoléique ont principalement produit de l'acide octacécatétraténique toxique que l'on ne trouve pas dans les plantes normales.

Les résultats d'Ewen et Pusztai, finalement publiés dans *The Lancet* à la fin de 1999 s'expliquent peut-être par de tels remaniements. Cette étude de toxicologie sur des rats utilisait des pommes de terre génétiquement manipulées pour produire la lectine GAN (l'agglutinine de *Galanthus nivalis*, un genre d'anémone), qui renforce la résistance aux insectes et aux nématodes. Elle a mis en évidence nombre d'effets négatifs, en particulier sur l'appareil digestif, avec prolifération de mucosités gastriques. Ces symptômes n'apparaissent *que chez les rats nourris de pommes de terre transgéniques*. Les rats nourris de pommes de terre ordinaires auxquelles on a ajouté de la lectine GAN ne les présentent pas. Pour les auteurs, « l'effet inattendu de prolifération est dû soit à l'expression d'autres gènes de la construction, soit à un effet de position provoqué par l'insertion du gène GAN dans le génome de la pomme de terre [6]». Cette étude détaillée, portant sur de jeunes rats dont on examine et pèse les organes avec soin et dont on étudie le système immunitaire, est beaucoup plus précise que les essais habituels de nutrition avec des plantes transgéniques. On a pourtant adressé de violentes critiques à ce travail, qui, à notre sens, pose des questions importantes méritant des travaux d'approfondissement [1].

1. Faisons remarquer que sept publications portent sur les effets des aliments transgéniques sur la santé [7] : trois sont de Pusztai et de ses

L'incertitude inhérente aux techniques du bricolage génétique impose sans conteste un étiquetage *précis et détaillé.*

EFFETS ALLERGISANTS DES OGM

Un quart de la population américaine déclare réagir à certains aliments [8] tandis que 2 % des adultes et 8 % des enfants ont de véritables allergies [9]. Les personnes dont les allergies sont transmises par l'IgE [I] ont des réactions immédiates à certaines protéines, qui vont de démangeaisons à des chocs anaphylactiques pouvant être fatals. Les allergies aux arachides ou à d'autres noix et aux fruits de mer sont les plus communes.

Le génie génétique peut transférer des allergènes d'aliments dont les personnes savent qu'elles y sont sensibles (et qu'elles peuvent donc éviter) à des aliments habituellement sans danger. L'entreprise de semences (hybrides) Pioneer Hi-Bred International avait introduit un gène de la noix du Brésil dans des variétés de soja pour accroître la teneur d'une protéine dans les rations pour animaux. À la demande de Pioneer, des chercheurs de l'Université du Nebraska ont montré en mars 1996, par des tests in vitro et cutanés, que ce soja réagit avec l'IgE des personnes allergiques à la noix du Brésil d'une façon telle que sa consommation pouvait être fatale [10].

---

collaborateurs ; la plupart des autres ne portent pas véritablement sur le sujet… Pour être certain de ne rien trouver, ne cherchons pas. [ndT]

I. Immunoglobuline E, un anticorps impliqué dans les réactions allergiques. [ndt]

Cette affaire s'est donc bien terminée. Comme l'a écrit Marion Nestle, directeur du département de nutrition de la New York University dans son éditorial du respecté *New England Journal of Medicine*: « Dans le cas particulier du soja transgénique, on savait que l'espèce donatrice était allergisante, on disposait d'échantillons de sérum de personnes allergiques pour faire les tests et on a pu retirer le produit. [11]» Mais les allergologues savent que tous les aliments peuvent provoquer des réactions allergiques. Ces dernières sont dues aux protéines. Or, presque tous les transferts de gènes se traduisent par une production de protéines nouvelles et le génie génétique introduit des protéines provenant de sources connues comme étant allergisantes (arachide, fruits de mer, lait, noix) *mais aussi* de plantes, de bactéries et de virus – c'est-à-dire de sources dont le potentiel allergisant est inconnu.

Plus grave: la seule méthode sûre pour déterminer l'allergénicité d'une protéine est de faire le test avec le sérum d'individus connus comme y étant allergiques. L'affaire du soja transgénique contenant un gène de la noix du Brésil met en évidence la difficulté de cette détermination. Tant que l'on a pas identifié des individus allergiques (c'est-à-dire tant qu'un accident ne s'est pas produit) et que l'on n'a pas identifié l'allergène, on n'a pas de sérum et on ne peut pas faire de tests. Quant aux tests sur les animaux, ils avaient montré que la protéine de la noix du Brésil (une protéine de stockage) n'était pas allergisante [12]. Il aurait pu être désastreux de se fier à ce seul résultat.

En dépit de ce qui précède, la plupart des entreprises de biotechnologies utilisent des gènes de micro-organismes plutôt que de plantes alimentaires. Elles modifient ces gènes naturels et parfois même les reconstruisent artificiellement – ce qui modifie les protéines naturelles ou en introduit de nouvelles, bien que le potentiel allergisant de ces protéines ne soit pas prévisible et ne puisse faire l'objet de tests. Pour Marion Nestle, « le prochain cas pourrait être moins idéal et le public moins heureux. Il est de l'intérêt de chacun de mettre au point des politiques réglementant les aliments transgéniques et comprenant une notification avant leur commercialisation et leur étiquetage [13]».

Protéger adéquatement la santé du public d'allergènes inconnus ou rares exige donc un étiquetage *précis et détaillé* des aliments transgéniques. C'est urgent car les enfants sont les plus exposés au risque fatal d'un choc allergique.

AUGMENTATION DE LA RÉSISTANCE AUX ANTIBIOTIQUES

Les termes « génie génétique* » et « ingénierie génétique* » suggèrent qu'il s'agit de techniques bien maîtrisées. À tort. Ce sont des bricolages brouillons qui, pour la plupart, s'achèvent par des échecs. Si le gène à transférer peut être identifié avec une certaine précision, son insertion dans le nouvel hôte est imprécise. Le transfert se fait avec une sorte de fusil à mitraille. Les biotechniciens revêtent d'ADN (de gènes) de petites billes de métal *et* tirent ces billes (cela s'appelle la « biolistique ») dans les milliers de cellules d'une boîte de Pétri dans l'espoir d'obtenir une ou des cellules où le nouveau trait s'est inséré et s'exprime. Comme le trait transféré – par exemple la capacité de la plante de produire un insecticide – n'apparaît pas immédiatement, il faut aussi insérer un « gène marqueur » en même temps que le gène désiré. Le gène marqueur le plus souvent utilisé est un gène bactérien de résistance aux antibiotiques. Les cellules ainsi canonnées sont alors cultivées en présence de l'antibiotique. Celles qui survivent et poussent contiennent le gène de résistance à l'antibiotique et, par conséquent, ont des chances de posséder également le gène qui produit l'insecticide que l'on cherche à transférer. La plupart des chimères végétales contiennent un tel gène.

L'utilisation à grande échelle de gènes marqueurs de résistance aux antibiotiques pourrait contribuer à aggraver le problème de la résistance aux antibiotiques. Ces gènes de résistance peuvent se déplacer de la plante dans des bactéries de l'environnement. Les bactéries échangeant facilement des gènes de résistance aux antibiotiques, ces derniers pourraient un jour se retrouver dans des bactéries pathogènes, les rendre résistantes à l'antibiotique et, par conséquent, plus difficiles à contrôler. On sait déjà que l'ADN nu peut être ingéré directement par des bactéries lorsque les conditions le permettent. Si bien que des gènes de résistance aux antibiotiques pourraient être théoriquement transférés à des bactéries dans le tube digestif lui-même. De plus, un travail récent montre que la bouche contient des bactéries capables d'absorber de l'ADN nu comportant des gènes marqueurs de résistance aux antibiotiques et de l'exprimer. Il en est de même dans l'appareil respiratoire [14].

Un maïs Bt génétiquement manipulé de Novartis comprend un gène de résistance à l'ampicilline, un antibiotique très utile contre de nombreuses infections humaines et animales. Nombre de pays européens, y compris la Grande-Bretagne, ont refusé d'autoriser la culture du maïs Bt parce que le gène de résistance à l'ampicilline pourrait se déplacer du maïs dans une bactérie de la chaîne alimentaire, rendant ainsi l'ampicilline beaucoup moins efficace contre les infections bactériennes. Dans le cas du maïs Bt de Novartis, le gène de résistance à l'ampicilline est lié à un promoteur bactérien (une sorte d'interrupteur génétique) et non pas à un promoteur de plante, ce qui peut accroître la probabilité qu'il s'exprime facilement s'il s'incorporait dans une bactérie. Ces éventualités ont conduit la British Royal Society (Académie des sciences) en septembre 1998 [15] puis la British Medical Association en mai 1999 [16] à demander l'arrêt de l'utilisation de gènes de résistance aux antibiotiques comme marqueurs dans les aliments génétiquement modifiés.

MODIFICATION DE LA VALEUR NUTRITIVE DES ALIMENTS

Le bricolage génétique peut accroître la teneur en vitamine C de certains aliments ou diminuer, par exemple chez le colza, la quantité d'acides gras qui tendent à s'accumuler dans les artères et provoquent des accidents cardiaques. Mais il peut aussi réduire la valeur nutritive de façon inattendue. Ainsi, la concentration en isoflavones (un phytooestrogène) ayant des effets potentiellement favorables est plus faible de 12 à 14 % chez deux variétés de soja Roundup Ready de Monsanto par rapport à celle de leurs équivalents isogéniques (génétiquement identiques à l'exclusion du transgène introduit) poussant dans des conditions semblables. « Ces données suggèrent que ces plantes de soja génétiquement modifiées peuvent être une source de phyto-oestrogènes cliniquement moins intéressante que leurs précurseurs normaux. [17]»

LES RISQUES POUR L'ENVIRONNEMENT

Les risques potentiels de la culture de plantes génétiquement modifiées sont en gros proportionnels à la superficie qu'elles occupent. Toutefois, la culture à grande échelle introduit des risques écologiques inconnus que les études de laboratoire ou d'essai en champs ne peuvent mettre en évidence.

Entre 1996 et 1999, la superficie des cultures transgéniques a été multipliée par dix aux États-Unis : de 2,8 à 28 millions d'hectares presque exclusivement plantées d'espèces insecticides, tolérantes à un herbicide ou résistantes à un virus. Le pourcentage de la superficie occupée par les plantes tolérantes aux herbicides a triplé, de 23 % de la superficie en 1996 à 71 % en 1998.

Si chacun des traits transférés pose des risques environnementaux spécifiques, tous introduisent le même risque : le gène (et donc le trait transféré) peut se diffuser à des plantes de la même espèce et/ou à des espèces sauvages apparentées. Nous traiterons des risques spécifiques puis du risque commun.

LA TOLÉRANCE AUX HERBICIDES

Les variétés *tolérantes* aux herbicides [I] (TH) supportent d'être traitées avec un herbicide éliminant les adventices [II]. Il existe des variétés tolérantes de maïs, de soja, de coton et de colza. Ces variétés encouragent les agriculteurs à utiliser les herbicides qui polluent les eaux de surface et souterraines et causent divers dégâts écologiques. Dans les pays en développement où le marché des herbicides croît rapidement, ces plantes en accroîtront encore l'utilisation. Partout, cette utilisation accrue se fera aux dépens de techniques agronomiques durables de contrôle des adventices par les rotations, l'utilisation d'engrais verts, le paillage des sols (*mulching*), etc.

Monsanto a certes affirmé que des études avaient montré que ses variétés de soja tolérantes aux herbicides – les variétés Roundup Ready (RR) du nom de son principal herbicide – réduisaient les quantités utilisées. Mais une étude *indépendante* récente conclut au contraire que « les agriculteurs ont utilisé en 1998 deux à cinq fois plus d'herbicides (en kilogrammes par hectare) sur les cultures de variétés de soja RR que sur la plupart

I. Une plante *résistante* aux herbicides dispose d'enzymes (des « ciseaux moléculaires ») lui permettant de découper la molécule active et de la décomposer en métabolites en principe inoffensifs. Une plante *tolérante* stocke la molécule dans ses tissus sans en souffrir, introduisant ainsi l'herbicide dans la chaîne alimentaire. [ndt]

II. Une adventice est une plante qui pousse sur un terrain cultivé sans y avoir été semée – terme préférable à celui de « mauvaise herbe », qui justifie l'utilisation de moyens de destruction comme les herbicides chimiques, alors que ces plantes jouent souvent un rôle écologique utile. [ndT] des cultures de variétés conventionnelles dont les agriculteurs contrôlent les adventices par des techniques classiques. Les exploitations cultivant du soja RR ont utilisé jusqu'à dix fois ou plus d'herbicide que nombre d'exploitations recourant à un système intégré de contrôle des adventices [18]».

Les cultures tolérantes aux herbicides constituent plus des deux tiers de la superficie cultivée en plantes transgéniques : les entreprises transnationales comme Monsanto, Novartis et Du Pont – qui ont mis au point ce type de plantes transgéniques – sont parmi les principaux producteurs d'herbicides ! Monsanto, par exemple, produit deux des herbicides les plus vendus dans le monde : le glyphosate et l'alachlor. Ces mêmes firmes viennent de racheter de nombreuses entreprises semencières de façon à leur faire produire des semences transgéniques tolérantes à leurs propres herbicides. Du Pont, Monsanto et Novartis sont les trois premiers semenciers mondiaux. Du fait de cette monopolisation de l'industrie des semences par les plus grandes transnationales agrochimiques, on peut s'attendre à ce que les plantes tolérantes aux herbicides continuent de constituer l'essentiel de la superficie consacrée aux plantes transgéniques.

LES PLANTES INSECTICIDES

Le génie génétique permet de faire des plantes produisant des insecticides qui tuent ou éloignent des ravageurs. Presque toutes les plantes insecticides contiennent un gène modifié d'une bactérie du sol, *Bacillus thurigiensis* (Bt), qui produit une forme d'endotoxine active dans tous les tissus de la plante, y compris les feuilles et le grain. Les agriculteurs biologiques utilisent cette bactérie depuis longtemps car elle produit un mélange d'insecticides naturels relativement inoffensif pour l'environnement. Les agriculteurs conventionnels l'utilisent aussi aux États-Unis et en Europe dans le cadre de programmes de contrôle intégré des ravageurs pour minimiser l'utilisation de produits chimiques toxiques. De fait, l'insecticide Bt est utilisé sur près d'un million d'hectares aux États-Unis [19]. À l'heure actuelle, on cultive des variétés transgéniques Bt de maïs, de coton, de pommes de terre, de tomates et de riz dans différentes parties du monde, la culture du coton Bt étant celle qui occupe la superficie la plus importante [20].

En réduisant au moins à court terme le besoin de pesticides chimiques, la culture de variétés Bt peut apparaître à première vue comme écologique. En réalité, elle présente de nombreux inconvénients. En produisant continuellement *une* endotoxine Bt, ces cultures accélèrent l'apparition et la généralisation de résistances génétiques parmi les ravageurs. Des experts prédisent que le Bt pourrait perdre son intérêt en quelques années de culture sur de grandes surfaces [21]. Si la résistance au Bt se répand aux États-Unis, les agriculteurs biologiques n'auront guère d'alternative pour contrôler les ravageurs contre lesquels le Bt était efficace, tandis que les agriculteurs conventionnels devront se tourner vers des pesticides plus toxiques. Ainsi la quantité de résidus de pesticides dans l'alimentation, les eaux de ruissellement, les nappes phréatiques et l'environnement en général s'accroîtrat-elle. Un modèle de simulation de l'Université de l'Illinois montre que si tous les agriculteurs américains cultivaient du maïs Bt, la résistance apparaîtrait en un an [22]. Des scientifiques de l'Université de Caroline du Nord ont déjà trouvé des gènes de résistance au Bt dans des populations sauvages d'un ravageur (un papillon de nuit) qui se nourrit de maïs [23].

Cette question de la résistance au Bt est suffisamment sérieuse pour que, en janvier 1999, sous la pression des agences fédérales de régulation, des défenseurs de l'environnement et des études scientifiques, les principaux producteurs de maïs génétiquement modifié demandent aux agriculteurs de consacrer une part importante de leur superficie à la culture de maïs conventionnel – les « refuges » – pour retarder l'apparition de résistances [24]. Certains scientifiques estiment que ces refuges devraient représenter près de la moitié de la superficie cultivée. Le 18 février 1999, une coalition d'organisations – comprenant notamment la Fédération internationale des mouvements de l'agriculture organique (biologique), Greenpeace International et le Centre international d'évaluation technologique – a intenté un procès contre l'Agence de protection de l'environnement pour qu'elle interdise le maïs Bt à cause de la menace qu'il constitue pour les agriculteurs biologiques et pour l'environnement.

L'endotoxine naturelle de la bactérie se présente sous la forme d'une longue protéine cristallisée qui, partiellement digérée dans l'estomac de *certains* insectes, libère une forme active de l'endotoxine qui perfore leur appareil digestif. Or, les plantes transgéniques produisent directement la forme active de l'endotoxine et on ne connaît pas l'effet de cette endotoxine modifiée sur les organismes non-cibles. Pour certains, la toxicité de l'endotoxine transgénique pour les insectes bénéfiques et les organismes non-cibles pourrait provoquer une rupture écologique.

Des chercheurs de la Station fédérale de recherche en agroécologie et agriculture en Suisse ont montré que la mortalité de la larve de la chrysope – l'un des plus importants prédateurs des ravageurs du maïs – augmentait de deux tiers lorsqu'on les nourrissait de larves de la pyrale du maïs ou de *Leucania unipuncta* [1] nourries avec du maïs Bt plutôt qu'avec des larves nourries de maïs non transgénique [25]. De plus, cet accroissement de mortalité est indifférent au fait que les larves de la chrysope sont nourries de proies malades (c'est-à-dire empoisonnées par le maïs Bt ingéré) ou en bonne santé (c'est-à-dire résistantes ou tolérantes au Bt). Des insectes résistants au Bt pourraient ainsi se nourrir de maïs Bt, se déplacer sur d'autres plantes, et être mangés par une chrysope qui serait alors tuée. Les effets écologiques se feraient donc sentir bien au-delà cultures transgéniques.

En Thaïlande, où les essais de coton Bt de Monsanto ont commencé en 1996, des essais en confinement ont mis en évidence une mortalité de 40 % chez les abeilles [26]. Depuis, aucune autre information n'a filtré. On ne sait pas si la mortalité des abeilles a été provoquée par le coton Bt.

1. Dit *armyworm*, ce papillon de nuit produit des larves qui se déplacent en grand nombre et dévastent la végétation sur leur passage. [ndt]

Selon des données soumises à l'Agence américaine de protection de l'environnement, le maïs Bt de Novartis s'est aussi révélé nocif pour les collemboles. Ces insectes sans ailes se nourrissant de champignons et de débris sont considérés comme des recycleurs bénéfiques [27].

D'autres études ont montré que la toxine Bt peut persister jusqu'à huit mois dans le sol en conservant sa toxicité pour les insectes [28]. Ainsi la production continue de l'endotoxine Bt dans les cultures Bt peut-elle accroître la teneur en endotoxine Bt du sol, qui pourra à la fois stimuler le développement de la résistance au Bt aussi bien qu'avoir des effets toxiques sur des organismes non-cibles.

Les cultures Bt ne sont pas les seules plantes insecticides dont on a pu démontrer qu'elles ont un effet toxique sur les insectes bénéfiques. Des expériences effectuées en Écosse avec des pommes de terre transgéniques contenant le gène de la lectine de *Galanthus Nivalis* (les lectines sont une classe de protéines connues pour résister à la digestion par les insectes) ont montré que les coccinelles qui mangent des pucerons élevés sur des pommes de terre transgéniques pondaient 38 % d'œufs de moins et vivaient moitié moins longtemps que des coccinelles nourries de pucerons élevés sur des pommes de terre non transgéniques [29]. Quant aux coccinelles mâles nourries avec des pucerons élevés sur des pommes de terre transgéniques, elles ont un taux de fertilité inférieur à celui des mâles nourris avec des pucerons élevés sur des pommes de terre non transgéniques.

LA RÉSISTANCE AUX VIRUS

Les plantes résistantes aux virus contiennent presque toutes des gènes viraux conférant une résistance à ces mêmes virus. Ces gènes peuvent s'associer à d'autres gènes viraux présents naturellement dans la plante pour créer des combinaisons génétiques virales nouvelles pouvant s'avérer encore plus dangereuses. Des travaux canadiens et américains ont ainsi montré que des virus « sauvages » peuvent en quelque sorte « enlever » des gènes de plantes transgéniques plus facilement qu'on ne le soupçonnait jusqu'ici. Des chercheurs d'Agriculture Canada (l'équivalent de l'INRA) ont d'abord infecté une plante avec un virus « handicapé » de la mosaïque du concombre (privé du gène lui permettant de se déplacer) ; puis ils ont pris un gène de mobilité d'un second virus et l'ont introduit dans les plantes infectées. Moins de deux semaines plus tard, ils ont trouvé des gènes fonctionnels du virus de la mosaïque du concombre dans l'une des huit plantes, démontrant ainsi que les gènes viraux peuvent s'associer [30]. L'inquiétude a été si grande que le ministère américain de l'Agriculture a tenu une réunion en octobre 1997 pour discuter des moyens de réduire le risque de créer des nouveaux virus de plantes à l'occasion de l'utilisation de plantes transgéniques résistant aux virus [31].

LA POLLUTION GÉNÉTIQUE

Toutes les cultures transgéniques posent le même problème : que les gènes introduisant un caractère donné (ou transgène) se transfèrent à d'autres plantes – soit de la même espèce, soit d'espèces voisines. Lorsque des transgènes s'introduisent dans des plantes de la même espèce, on parle de « pollution génétique » ou de « smog génétique ». C'est une menace sérieuse pour les agriculteurs biologiques et conventionnels : en Europe, le marché des aliments non transgéniques est en pleine croissance et, aux États-Unis comme en Europe, les OGM ne sont pas considérés comme « biologiques ». Le flux de transgènes dans les cultures biologiques ou conventionnelles pourrait les rendre invendables comme « biologiques » ou « sans OGM ».

Des expériences en Allemagne avec du colza génétiquement modifié ont montré que le pollen de cultures transgéniques pouvait polluer des cultures normales situées à 200 mètres [32]. Au Royaume-Uni, on a retrouvé du pollen de colza génétiquement modifié dans des ruches distantes de quatre kilomètres [33]. Quatre agriculteurs allemands ont poursuivi l'Institut Robert Koch de Berlin devant les tribunaux pour demander l'arrêt des essais en plein champ de colza transgénique et arrêter le flux de transgènes dans leurs cultures.

Dans les pays du Sud qui sont le centre d'origine de nombreuses espèces et donc de biodiversité, la pollution génétique pose des problèmes particulièrement aigus. En Thaïlande, le gouvernement a décidé d'annuler les essais de plein champ du coton Bt de Monsanto, notamment par crainte que des transgènes ne s'introduisent dans l'une ou plusieurs des seize espèces de la famille du coton identifiées qui, selon l'Institut de médecine traditionnelle thaï, sont utilisés par les guérisseurs. Aucune recherche ne s'était préoccupée de ce risque de pollution génétique [34].

De plus, le flux de gènes entre les plantes cultivées et leurs parents sauvages pourrait être plus élevé qu'on ne le pensait. Des chercheurs du sud des États-Unis ont démontré que, après dix ans, plus de la moitié des fraisiers sauvages poussant à moins de 50 mètres d'un champ de fraisiers cultivés en contenaient un gène marqueur. Des chercheurs du centre des États-Unis ont montré que, après dix ans, plus du quart des tournesols sauvages poussant à proximité de tournesols cultivés en avaient le gène marqueur [35].

Si le flux de gènes accroissait la valeur adaptative des populations sauvages voisines, il pourrait créer des super-plantes adventices. De fait, onze des dix-huit plantes adventices les plus nuisibles sont aussi des espèces cultivées [36]. Si le gène de la tolérance à l'herbicide s'incorporait à ces adventices, une nouvelle génération de super-adventices, tolérantes aux herbicides, pourrait apparaître. Si le gène de la production de l'endotoxine Bt s'incorporait dans une plante sauvage, cette dernière pourrait résister aux ravageurs comme les plantes transgéniques Bt. Les équilibres écologiques pourraient en être bouleversés, soit parce que la plante sauvage deviendrait très florifère, soit par diminution de la population de ravageurs qui se nourrissaient de la plante avant qu'elle ne devienne toxique. Il en est de même pour un gène de résistance à un virus s'échappant à l'occasion d'une pollinisation et s'introduisant dans une plante sauvage apparentée, qui deviendrait résistante et se transformerait en une super-adventice.

Au cours des trois dernières années, les travaux menés sur le colza transgénique ont montré que les transgènes de tolérance aux herbicides (qui constituent la menace la plus grande de création de super-adventices) peuvent facilement se propager dans les plantes sauvages apparentées. Au Danemark, la résistance est apparue en une seule génération chez la moutarde sauvage, une adventice apparentée, qui poussait à côté de colza transgénique résistant au glufosinate (l'herbicide Basta d'AgrEvo) [37]. Ces croisements entre la plante cultivée et l'adventice étaient fertiles. Les biotechniciens s'étaient rassurés en faisant l'hypothèse que ces adventices devenues tolérantes seraient moins robustes que les adventices « sauvages » – de la même façon que les plantes cultivées sont moins robustes que les adventices « sauvages » – et que la sélection naturelle les éliminerait. Mais un travail plus récent fait en serre aux États-Unis montre que, même dans les conditions les moins favorables à l'adventice, le croisement adventice/colza transgénique TH devient tolérant au gluphosinate tout en conservant la fertilité de l'adventice [38]. L'adventice n'est pas affaiblie par l'incorporation d'un gène de tolérance à l'herbicide et le transgène peut donc se maintenir dans la population d'adventices même en l'absence de sélection par l'herbicide.

Les gènes de tolérance à l'herbicide pourraient avoir des effets écologiques inattendus. La probabilité que le bricolage génétique crée des superadventices pourrait être beaucoup plus grande qu'on ne le croyait. C'est ce qu'a montré une expérience récente consistant à insérer un gène de tolérance à l'herbicide chlorsulphuron dans *Arabidopsis thaliana* [1] par génie génétique et par la méthode classique de sélection de mutants [39]. Les plantes obtenues par génie génétique se croisent vingt fois plus fréquemment avec d'autres plantes d'*Arabidopsis thaliana* que les mutants ordinaires. Ainsi la transgénèse peut-elle accroître considérablement le flux de gènes en transformant une plante qui d'ordinaire se féconde elle-même (une autogame) en une plante à fécondation largement croisée (allogame). Certes, on ne sait pas si ces résultats sont liés au transgène de tolérance aux herbicides, mais ce transgène, soulignons-le, a déjà été introduit dans des dizaines d'espèces cultivées et les biotechniciens le considèrent comme un marqueur souhaitable des plantes transgéniques.

PRÉPARER UN NOUVEAU « PRINTEMPS SILENCIEUX »

Les premiers pesticides de synthèse utilisés massivement au cours des années 1950 furent considérés comme des armes miraculeuses pour éliminer

1. Cette minuscule crucifère (famille du chou, de la moutarde, du colza) à croissance rapide est à la génétique végétale ce que la drosophile est à la génétique animale. [ndt]

des ravageurs. On s'est rendu compte plus tard que ces produits de synthèse conduisaient à un « printemps silencieux [1]», provoquaient des cancers chez les êtres humains et des résistances chez les insectes. Un paradoxe de la science est que lorsque survient quelque chose de nouveau – comme la technologie radicalement nouvelle des chimères génétiques ou un phénomène inouï comme le prion –, c'est-à-dire au moment où les interrogations sont les plus brûlantes, elle ne peut rien en dire avant longtemps, parfois des décennies, et que si la science se prononce elle a toutes les chances de se tromper.

Le bricolage génétique permet certes de battre de façon radicalement nouvelle le jeu des gènes disponibles et de créer des êtres chimériques. Pour les biotechniciens, le vivant apparaît comme un mécano fascinant qu'ils peuvent bricoler à loisir. Pour les « investisseurs », l'enjeu est celui du retour sur investissement. La conjonction des deux ne justifie pas de foncer dans l'agriculture transgénique car les connaissances scientifiques des conséquences sont bien limitées, pour ne pas dire inexistantes. La brève revue des nuisances potentielles que révèlent les travaux scientifiques récents – et l'on est dans ce domaine au tout début d'une remise en cause des idées, des hypothèses et des croyances les mieux établies – montre que la plus grande prudence est d'autant plus de mise que les

1. Titre du célèbre ouvrage de Rachel Carlson [40]. Il fut le premier livre à dénoncer les effets écologistes dangereux des pesticides, ce qui a valu à son auteur de sérieux ennuis avec l'establishment agricole et les agrochimistes. [ndt]

bénéfices seront, de toute évidence, bien mal partagés. Dans l'état actuel de l'incertide scientifique, l'agriculture et l'alimentation transgéniques sont prématurées. En réalité, elles ne répondent qu'à l'urgence du retour sur investissement de quelques transnationales.

MICHAEL HANSEN

Traduit de l'anglais par Jean-Pierre Berlan

Commissions & commissionite

La France s'est dotée de commissions de génie biomoléculaire, de génie génétique, de biovigilance et d'éthique. Certaines sont nationales (Comité national, Agence française de sécurité alimentaire) mais il en est de régionales. D'autres sont sectorielles – chaque organisme de recherche (INRA, INSERM et CNRS) y va de sa commission éthique – l'INRA a des chargés de mission éthique par département, y compris en économie ! Des commissions pour canaliser la marchandisation de la biologie que ses excès mettent en danger.

La commission du génie biomoléculaire, créée en 1986 et longtemps présidée par Axel Kahn, accorde ou refuse les autorisations de dissémination volontaire et de commercialisation des OGM. Son avis est consultatif, la responsabilité politique finale incombant aux politiques. Après sa démission soigneusement médiatisée en février 1997 pour protester contre la décision scientifiquement fondée (et de toute façon politiquement légitime) du gouvernement Juppé de ne pas autoriser la commercialisation du maïs Bt, Axel Kahn s'est flatté que plus de la moitié des essais de plantes transgéniques en Europe avaient eu lieu en France sous sa présidence [1] – c'est dire le peu de neutralité de la commission durant son mandat…

Au sein de la nouvelle commission du génie biomoléculaire, des scientifiques comme Gilles-Éric Séralini s'efforcent avec succès de faire prévaloir une démarche scientifique sur la dérive marchande en rejetant notamment les OGM avec gènes de

…/…

résistance aux antibiotiques et toute demande de commercialisation d'OGM qui ne contienne pas de tests solides de nutrition sur mammifères – c'est-à-dire l'essentiel des dossiers. Ce qui a contribué à ralentir considérablement le flux des brouillons d'OGM opportunistes sans autre objectif que celui de s'emparer – selon les dires mêmes des producteurs – de l'immense marché agroalimentaire européen. (Autant de travail en moins pour les faucheurs de champs d'OGM qui ont du mal à rester dans la légalité pour faire entendre la voix de la société civile.)

En scientifique se prévalant du principe de prévention en matière de réglementation des OGM [2], Gilles-Éric Séralini a fondé avec Jean-Marie Pelt, sous la présidence de Corinne Lepage, le comité de recherche et d'information *indépendantes* sur le génie génétique (CRII-GEN). À côté de la commission du génie biomoléculaire (dont le rôle est de donner des avis officiels au gouvernement sur les risques sur la santé et l'environnement de la dissémination des OGM), un comité de bio vigilance (nouveau décret 2000) doit surveiller les effets des chimères commercialisées.

Voici la contribution personnelle de Gilles-Éric Séralini au rapport officiel de la Commission du génie biomoléculaire de 1998 [3].

Le public pourra se faire une idée du sérieux du travail de nos commissions officielles.

JEAN-PIERRE BERLAN

1. *Nature*, 20 février 1997.

2. Le principe de prévention se situe en amont du principe de précaution. Il implique qu'une plante-pesticide (le maïs Bt par exemple) soit homologuée selon les procédures en vigueur pour un pesticide courant.

3. Disponible sur le site Internet du ministère de l'Agriculture, ce rapport a été publié le 26 mai 1999. Nous en reproduisons ici une version légèrement retouchée pour qu'il prenne sa place dans ce recueil.

Risques & failles de l'expertise des OGM

POUR NOMBRE DE SCIENTIFIQUES, la réglementation et le contrôle des organismes génétiquement modifiés (OGM*) doivent s'adapter au rythme soutenu du développement des biotechnologies*. Presque toutes les plantes d'intérêt agroalimentaire ont leur variété transgénique en cours d'essai ou déjà commercialisée. La transgénèse touchant les micro-organismes, les poissons, les arbres et les animaux, toute l'agriculture et l'alimentation sont concernées. Il faut y ajouter les médicaments. L'urgence économique – et particulièrement la brevetabilité du vivant – contribue à précipiter l'autorisation des cultures transgéniques et l'importation des produits correspondants avant la loi sur l'étiquetage.

Membre de la Commission européenne du génie biomoléculaire, je suis de ceux qui pensent que les contrôles actuels sont très insuffisants pour prévenir sérieusement les risques environnementaux et de santé publique. Puisqu'on admet que le risque zéro n'existe pas, il est d'autant plus important de cerner les risques par des études de toxicité à long terme avant toute commercialisation, comme il est important d'identifier de façon précise la filière OGM afin de pouvoir retirer des lots en cas d'effets indésirables sur la santé. Personne ne peut raisonnablement penser qu'une technique aussi puissante – qui peut altérer de manière imprévisible le fonctionnement des gènes de l'organisme receveur – ne recèle jamais aucun risque grave.

Au contraire des aliments traditionnels, nous n'avons aucun de recul sur l'utilisation des OGM dans l'agriculture et dans l'alimentation. Leur dissémination sur des dizaines de millions d'hectares, couplée à la puissance de diffusion du marché international, s'accomplit à une vitesse inégalée dans l'histoire de la transformation permanente de l'agriculture. À cause de la prédominance fort discutable d'un principe « d'équivalence en substance* », les OGM ne sont en règle générale pas évalués quant à leur toxicité chronique potentielle – question qui divise les scientifiques. Quelles expériences commander avant de juger un OGM (ou ses produits dérivés) bon pour les rayons de supermarchés ? Faut-il avoir une vision minimaliste – c'est-à-dire se contenter d'une « équivalence en substance » – sous prétexte que les gènes ont toujours été mélangés, et l'alimentation toujours manipulée dans l'histoire ? ou faut-il procéder rigoureusement en laboratoire comme pour l'évaluation des médicaments ? Ne devrait-on pas se priver au moins momentanément d'un développement technique – peut-être profitable à une certaine agriculture industrielle – le temps de faire tous les contrôles nécessaires ?

Les OGM actuels ont déjà artificiellement intégré des séquences de gènes de résistance à des antibiotiques (ou de gènes de virus) car l'utilisation de ces techniques est plus facile et plus rapide en laboratoire. Mais les résidus technologiques de ce type dans la plante modifiée sont inutiles au niveau agronomique et dépassés sur le plan scientifique. Peut-on se passer de l'évaluation de leurs dangers pour la santé sous prétexte que ces séquences sont déjà présentes quelque part dans l'environnement ? Fonce-t-on dans un brouillard dont on estime mal la densité sous prétexte qu'un passager du bus a de bonnes raisons d'être pressé ? Où s'arrête l'évaluation scientifique menée pour ne pas peser sur les intérêts d'un industriel ? ou bien pour ne pas différer l'essai en serre d'un végétal qui doit être librement planté au printemps ? Je préfère toujours la précaution et l'avantage général à l'intérêt particulier. Surtout quand un OGM n'apporte finalement aucun avantage au consommateur. D'autant plus si l'OGM est imposé sans aucune identification.

Du point de vue de la génétique moléculaire, la plupart des OGM agricoles d'aujourd'hui sont des brouillons mal faits, construits avec des gènes marqueurs agronomiquement inutiles et parfois porteurs de séquences non géniques (dites de vecteurs d'ADN). Ainsi le premier maïs transgénique commercialisé en France relève-t-il d'une technologie dépassée. Mal évalué, cet OGM est une plante aux propriétés insecticides mais qui n'a pas été testée selon les procédures appliquées à un insecticide courant. Enfin, il n'est pas suivi dans la chaîne alimentaire car, malgré une loi récente, ces produits sont mal ou pas étiquetés dans le commerce. Pour un chercheur en biologie moléculaire comme moi, c'est là le plus mauvais service qui ait été rendu aux OGM. L'évaluation qui a précédé la mise sur le marché de ce maïs a été faite avec beaucoup moins de rigueur conceptuelle et pratique que celle qu'on exige d'une recherche de laboratoire. Elle a été située très en deçà de ce que requiert une publication scientifique courante. Il ne s'agit pourtant pas d'une publication de plus mais de santé publique.

Les présidents et membres des commissions européennes devront un jour ou l'autre répondre publiquement de la qualité scientifique des dossiers pour lesquels ils donnent un avis favorable de dissémination. Si l'on diffusait sur Internet des évaluations de toxicologie des OGM qui ont donné lieu à des avis favorables à leur commercialisation en Europe, la communauté scientifique aurait des sourires aigres devant les trois vaches ou les dix rats traités qui ont fait l'objet d'expérimentations incomplètes et à court terme. Tout cela doit évoluer vite mais il faut d'abord un moratoire général à la commercialisation. Ce serait là le vrai progrès, surtout s'il est soumis à un avis citoyen. Car nous ne pouvons plus croire qu'un développement technique constitue mécaniquement un progrès pour l'humanité.

REMARQUES SUR LES CONDITIONS FAITES À L'EXPERTISE DES OGM

Une expertise complète et contradictoire est issue de réunions de la Commission du génie génétique* qui peuvent occuper plusieurs centaines d'heures par an. Ajoutée aux charges d'enseignement et de recherche, cette situation de surcharge de travail favorise l'influence des membres dont la principale activité est le développement des OGM. En 1998, les dossiers à expertiser arrivèrent plusieurs fois quelques jours seulement avant la date de la réunion. Aujourd'hui, le temps de lecture a été porté sur notre demande à deux ou trois semaines en général. C'est toujours peu, ne serait-ce que pour l'expertise de la bibliographie de dossiers de plusieurs centaines de pages sur la seule question de la commercialisation. Cette situation ne favorise pas une expertise indépendante et contradictoire.

Nommé au comité de pilotage pour le travail conjoint des commissions du génie génétique et du génie biomoléculaire sur les gènes marqueurs de résistance aux antibiotiques, je ne fus averti qu'au dernier moment de la date de la réunion finale dont une première liste d'intervenants avait déjà été établie sans nous consulter. En l'absence de débat contradictoire, les conclusions d'une telle réunion n'ont pu être que partielles voire partiales [I].

La qualité scientifique des dossiers en parties B et C est en général très pauvre [II] : des figures de biologie moléculaire souvent peu ou pas lisibles ; de nombreuses erreurs dans les *southern blots* (technique de détection de gènes ou de fragments

I. Je fus nommé à ce comité avec Patrice Courvalin (responsable du Centre national de référence sur les mécanismes de résistance aux antibiotiques et directeur l'Unité des agents antibactériens de l'Institut Pasteur). Devant ce coup de force nous interdisant de vérifier la disponibilité d'experts de notre connaissance, nous nous sommes retirés.

II. Les dossiers en partie C traitent de la commercialisation éventuelle des OGM agricoles et ceux en partie B de leurs disséminations à des fins d'expérimentation, essentiellement de rentabilité agronomique.

de gène) ; pas de discussion fouillée en partie B (et très peu en partie C) de la bibliographie toxicologique récente ou adéquate ; pas de séquençage des gènes après insertion dans les plantes ; pas d'expérimentation sérieuse pour évaluer la toxicité possible (surtout chronique) des OGM.

Le principe d'équivalence en substance continue de prévaloir alors qu'il n'est pas un principe scientifique sérieux mais une simple indication intéressante et forcément incomplète. Sauf exception, les membres de notre commission n'ont pas d'assez d'informations sur les parcelles plantées en OGM (ni localisation ni description de leur environnement – falaise ou vallée, sens du vent, identification des autres cultures à proximité, présence de rivières, de ruches, etc.) Malgré mes demandes, des points comme la toxicité potentielle du pollen transgénique des cultures expérimentales sur la faune dite « non cible » ou le caractère allergène des produits d'OGM consommés après commercialisation sont peu ou pas discutés.

On affirme le caractère non toxique de la protéine Bt au niveau chronique sur la base de l'utilisation dite courante et sans problème du micro-organisme Bt en agriculture biologique. Toutefois, pour l'évaluation scientifique, la lutte biologique (réalisée par un micro-organisme ou ses protéines cristallines) n'est pas assimilable à l'utilisation d'une protéine recombinante – dans ce cas, une toxine activée (raccourcie au niveau de sa séquence par rapport à la protoxine du micro-organisme) synthétisée par la plupart des cellules de la plante.

Les membres de notre commission n'ont pas accès aux informations sur les résidus d'herbicides

des plantes tolérantes – résultats qui sont du ressort de la commission des toxiques dont le président semble porté sur la rétention d'informations. Dans nos évaluations d'équivalence en substance, il nous est difficile de savoir si les plantes génétiquement modifiées ont été traitées aux herbicides – ce qui modifie pourtant leur métabolisme. Je ne suis toujours pas certain que les publications de toxicité les plus récentes soient prises en compte dans l'évaluation réglementaire des herbicides sur OGM. Des produits comme ceux à base de soja au Roundup sont déjà importés en France alors que certaines évaluations sont en cours.

J'ai fait part de mes remarques critiques au comité de biovigilance mais celui-ci est toujours provisoire depuis avril 1998.

Dans leur vaste majorité, les membres de la Commission du génie génétique ont un *a priori* favorable aux OGM. Ils craignent donc de retarder la recherche ou les biotechnologies en demandant des contrôles supplémentaires.

L'ordre du jour est organisé en fonction des impératifs climatiques – ensemencer au printemps – mais, faute de temps, le règlement intérieur de la Commission fut voté « à la hussarde » sans discussion préalable. Il n'a jamais été depuis remis à l'ordre du jour – et ce malgré mes observations écrites, notamment sur la question de l'indépendance des membres.

Sur les dix-huit membres de notre commission, la moitié au moins soit travaille sur la transgénèse végétale, soit est professionnellement associée à des programmes de tests ou de développements agricoles d'OGM, soit est citée dans les dossiers de développement des OGM comme expert associé ou conseillé. Quelques-uns se sentent liés par les avis favorables de la précédente commission – dont ils faisaient partie. Les décisions sont souvent votées en présence d'une dizaine de membres...

Au final, cela ne favorise pas la pluridisciplinarité scientifique.

Les experts extérieurs à la Commission sont proposés par le secrétariat (et non les membres de la commission) à l'industriel ou à l'organisme de recherche développeur d'OGM. Celui-ci choisit lui-même parmi trois propositions. L'expert retenu est le seul à être rémunéré par le ministère de l'Agriculture. Il déclare simplement à la Commission n'avoir aucun autre lien direct avec le projet et peut même n'avoir à évaluer que la partie agronomique du dossier.

Ce système ne favorise pas l'expertise contradictoire. Il ferait sourire s'il ne s'agissait d'un enjeu environnemental et de santé publique.

Pour nos rapports avec les médias, notre président demande que nous ne nous exprimions pas en tant que membres d'une commission européenne – afin de préserver aux yeux de tous son image d'expert. Et lorsque nous nous exprimons en tant que citoyens, il nous demande de lui rapporter nos interventions... Comme si, dans les biotechnologies comme ailleurs, il ne devait pas être naturel que les experts aient parfois des avis divergents !

GILLES-ÉRIC SÉRALINI

Agrochimie, semences, OGM & pillage des ressources génétiques

LE MARCHÉ MONDIAL DES SEMENCES est évalué à une trentaine de milliards de dollars – à égalité avec celui des engrais et devant celui de l'agrochimie. Toutefois, ce chiffre confond deux secteurs : celui de la *semence-disquette* (la semence-grain) et celui de la *semence-logiciel* (l'information variétale).

La *semence-logiciel* joue un rôle stratégique que l'on ne peut réduire à un chiffre : comme l'indique le slogan de l'Association américaine des semences, « *First the Seed* », elle *détermine* le cours de la production agricole. En effet, l'efficacité des moyens industriels de production (les « intrants » : machines, engrais, pesticides, etc.) dépend de la façon dont les plantes (et les animaux) y réagissent. Sans variétés de blé à paille courte, les plantes verseraient et les engrais azotés ne serviraient à rien. Le terme « amélioration des plantes » est trompeur : il serait plus juste de parler de leur *adaptation* aux exigences de profit des industriels d'amont et d'aval.

L'humanité devra-t-elle faire de ce facteur stratégique le privilège marchand de quelques investisseurs ? Pour la Fédération internationale des semenciers (FIS), la réponse est évidente. « Petit à petit, écrit son président, l'industrie du piratage va disparaître. [...] C'est une certitude, le marché des semences va continuer progressivement à s'étendre. [1]»

Une dizaine de grands groupes contrôlent 91 % du marché mondial des produits agrochimiques (31 milliards de dollars en 1998) ; cinq firmes – Astra-Zeneca, Du Pont, Monsanto, Novartis et Aventis – en contrôlent 60 %, ainsi qu'une part importante du marché des « semences » et 100 % de celui des organismes génétiquement modifiés (OGM*) – en 1998, Monsanto en commercialisait à lui seul près de 90 % [2]. Un cartel de cinq firmes transnationales domine donc le marché des pesticides et des semences-logiciels. À grand renfort de publicité, ce cartel veut convaincre les agriculteurs et l'opinion publique qu'il veut « nourrir les hommes et protéger l'environnement » – Monsanto s'est inventé le slogan : « *Food, Health, Hope* » [nourriture, santé, espoir] !

Mais les temps sont durs ! Les perspectives de croissance de l'agrochimie sont défavorables pour raison de crise de surproduction agricole, d'insolvabilité des pays du Sud et de la mauvaise réputation de ses produits. Le projet des « sciences de la vie* », l'intégration dans les mêmes firmes de la chimie, de la pharmacie et de la manipulation du vivant, tourne au fiasco. Le refus des consommateurs d'acheter des aliments issus de cultures transgéniques a provoqué une chute de la cotation boursière de ces firmes. Alors celles-ci fusionnent en séparant leurs activités agrochimiques de leurs

Chiffre d'affaires des agrochimistes par activité (milliards de dollars) et pourcentage de la superficie cultivée en OGM

Entreprise	CA total	CA Agriculture	CA semences	Superficie en OGM %
Novartis (Ciba-Geigy + Sandoz, Suisse, 1996)	21,42	5,6	0,9	4
Astra-Zeneca (Suède, RU) Astra + Zeneca		2,9	0,5	
Pharmacia & Upjohn (USA / Suède) } fusion en cours				
Monsanto (USA) } fusion en cours	8,6	4	1,8	88
Du Pont (USA)	24,6	3,2	1,8 (Pioneer)	
Aventis (RFA, Fr) Hoechst + AgrEvo + Rhône Poulenc (1999)	18	4,1 (15 %)	0,5	8
Cyanamid (USA)		2,2		
Dow Agro-Science (USA)		2,1		
BASF (RFA)		1,94		
Bayer (RFA)		2,3		

Source : Asgrow Crop Protection News, 26 mars et 16 avril 1999 pour le chiffre d'affaires « agriculture » des agrochimistes ; la superficie en OGM par entreprise vient du RAFI, *3rd Annual Report on the « life industry »*, mars/avril 1999.

activités pharmaceutiques afin de ne pas « plomber » ces dernières. Pharmacia s'est séparé de ses « sciences de la vie » (agrochimie et OGM) lorsqu'il a absorbé Monsanto. Novartis et Astra-Zeneca ont mis à l'écart ces mêmes activités dans Syngenta et Aventis (Rhône Poulenc et Hoescht) est en train de suivre le mouvement.

L'INVESTISSEMENT DU SECTEUR DES « SEMENCES » PAR LES AGROCHIMISTES

Pour concevoir, produire, distribuer et vendre leurs chimères génétiques*, les agrochimistes ont envisagé plusieurs solutions.

La première est de vendre des technologies aux entreprises semencières en les laissant libres de cultiver leurs relations de proximité avec leur clientèle agricole – c'est le choix de Rhône Poulenc [1]. Ainsi, en 1998, des alliances furent signées avec Agro-Mycogen et Dow Agro Sciences pour mettre au point et commercialiser des semences transgéniques à caractère multiple [4].

La deuxième est de prendre directement le contrôle du marché en absorbant des « semenciers » traditionnels de façon à imposer immédiatement leurs OGM aux agriculteurs – c'est la stratégie adoptée par Monsanto [5] et la plupart des entreprises agrochimiques.

1. « Si vous estimez que les biotechnologies permettront d'offrir quelque chose de véritablement différent, avec des innovations pouvant intéresser les semenciers, alors investissez en recherche et développement plutôt que dans l'acquisition des sociétés financières », expliquait Alain Godard, président du secteur Santé végétale et animale de Rhône Poulenc [3].

Mainmise des agrochimistes sur les « semences »

Acquéreur	Entreprise achetée	Date	Montant (milliards de $)	Activités principales
Monsanto	Cargill Hybrids (USA)	1999	1,4	Maïs hybride
	PBI (Plant Breeding International, GB)	1999	0,525	Céréales à paille
	Delta and Pine Land & Co. (USA)	1998	1,8	Coton. Transaction annulée par les autorités de la concurrence
	DeKalb (USA)	1998	2,3	Maïs hybride
	Asgrow (USA)	1997		Maïs hybride
	Holden (USA)	1997	1	Maïs hybride
	First Line Seeds (Ca) + entreprises en Inde			
Novartis	MaïsAdour (France)	1998		Maïs hybride
	C. Benoît (France)	1998		Céréales à paille
	Agritrading (Italie)			
Du Pont	Pioneer (USA) 20 % du capital	1997	2	Maïs hybride, soja, divers
	Pioneer (80 % restants)	1999	7,7	
	Hybrinova (France)	1998		Blé hybride
Aventis	ProAgro (Inde)	1999	0,2	
	3 entreprises brésiliennes	1999		
	Plant Genetic System (Belgique)	1997	0,730	Portefeuille de brevets transgénèse végétale

Toutes les grandes entreprises semencières rachetées produisent du maïs dit « hybride » ! L'exception (le rachat coûteux par Monsanto du PBI à Unilever) s'explique par la position de quasi-monopole du PBI sur le marché anglais des semences de céréales « libres ». Monsanto espère réussir à les remplacer par des semences hybrides (« captives »).

En 1997-1999, Monsanto s'était livré à une boulimie de croissance externe par acquisitions et prises de participation dans des entreprises semencières en Amérique du Nord, en Europe et dans certains pays du tiers-monde. Pour le *Wall Street Journal*, cette stratégie « partage effectivement la majorité de l'industrie semencière américaine entre Du Pont et Monsanto » [6]. Et le président de la Fédération internationale des semences de se demander : « À partir de quand va-t-il falloir que des mesures antitrust se mettent en place dans notre profession ? [7]» Le président de la Fondation on Economic Trends, J. Rifkin, apporta la réponse : son recours antitrust fut jugé recevable en septembre 1999 [8].

L'objectif de Monsanto est d'accroître les ventes de son herbicide phare, le Roundup, en en maintenant les marges de profit au moment où le brevet tombe dans le domaine public [1]. Les plantes tolérantes au Roundup font d'une pierre deux coups. Avec le lancement de son projet Liberty Link (lancement de variétés de maïs, de soja et de colza résistantes à son herbicide Liberty), Aventis-Agrevo poursuit le même but [9].

LA PRIVATISATION DE LA RECHERCHE PUBLIQUE

Au Royaume-Uni, le gouvernement ultra-libéral de Margaret Thatcher a vendu la partie rentable de la recherche agronomique publique : le Plant

1. L'agriculteur qui achète des semences tolérantes au Roundup (c'est-à-dire à l'herbicide de cette marque), ne peut utiliser le glyphosate (le produit générique) tombé dans le domaine public.

Breeding Institute (PBI), fleuron de la recherche publique en amélioration des plantes, qui percevait des redevances sur les *semences-logiciels*, fut vendu en 1989 à Unilever pour 70 millions de livres. En 1998, Monsanto racheta le PBI pour 525 millions de dollars. Sa valeur aurait-elle été multipliée par trois en dix ans ? En fait, Monsanto avait besoin du germoplasme et de l'expertise du Plant Breeding pour que sa filiale Hybritech mette au point des blés « hybrides ». Le projet est de répéter le processus d'expropriation/appropriation réussi avec le maïs « hybride » – un marché potentiel de 200 millions d'hectares. Sa réussite impose d'éliminer la concurrence de la technique traditionnelle *d'amélioration* par lignées. « Nous pensons, explique le président de Monsanto, qu'un large pourcentage de variétés de blé peut être transformé en hybrides, comme on l'a fait pour le maïs [10]. » Le PBI étant en position de quasi-monopole en Grande-Bretagne, il n'est pas impossible que Monsanto réussisse.

Avec les blés hybrides se joue une bataille mondiale. Monsanto mena une campagne de marketing au cours de laquelle il offrait une ristourne aux céréaliers américains qui essayaient les blés hybrides. Directeur général de Nickerson (300 millions de francs de chiffre d'affaire), une des trois firmes mondiales à mener un programme de sélection des blés hybrides, Raphaël Journel affirmait : « Nous sommes convaincus que la culture du blé va devenir le domaine d'excellence de l'Europe, de même que la spécialité des États-Unis est le maïs. [11]» De son côté, Du Pont a signé en 1998 avec les Sainsbury Laboratories et les laboratoires publics du John Innes Center (le principal centre de recherche publique britannique consacré aux biotechnologies agricoles) un accord sur la sélection de nouvelles variétés de blé [12]. Advanta (Zeneca Seeds et VanderHave) s'intéresse tout particulièrement au blé tendre, qu'il étudie également avec le John Innes Center auquel Zeneca apporte 82,5 millions de dollars sur dix ans et construit un nouveau laboratoire [13].

En France, la privatisation prend le caractère de contrats que le chercheur public, sans grands moyens, doit signer avec les entreprises privées. Génoplante systématise cette méthode de privatisation. Moyennant un investissement marginal, les entreprises ont accès au capital de connaissances, de savoir-faire et de matériel génétique accumulé pendant cinquante ans par les chercheurs publics. Elles peuvent désormais en orienter les travaux dans les voies les plus rentables pour elles, indépendamment des intérêts des agriculteurs et de la société civile.

En Allemagne, le programme GABI (Genom-Analyse im Biologischen System Pflanze) associe agrochimistes, semenciers, ministères et universités afin d'étudier la plante modèle *Arabidopsis* (projet « Zigia » des entreprises AgrEvo, KWS et DSK et l'Institut Max Plank) et le génome de l'orge et du blé (projets Metanomics et Sungene) auquel participent BASF, l'Institut Max Plank, IPK Gatersleben et l'université de Freiburg [14].

Aux États-Unis en 1998, un contrat 25 millions de dollars sur cinq ans a permis à Novartis de prendre – non sans remous – le contrôle de fait d'un département entier de recherche universitaire, celui de Biologie végétale et microbienne de l'Université de Californie à Berkeley. L'accord précise que la multinationale ne pourra dicter la politique de recherche du département [*sic*] mais qu'elle se réserve le droit de négocier des licences en exclusivité – que les résultats proviennent ou non des recherches qu'elle a financées [15]. En juillet 1998, Novartis a annoncé son intention d'investir 600 millions de dollars sur dix ans pour son programme de génomique agricole : 250 millions seront consacrés à la création d'un institut de recherche, le Novartis Agricultural Discovery Institute (San Diego, Californie), où plus de 180 chercheurs travailleront à la localisation et à l'étude du fonctionnement de gènes d'*Arabidopsis* et d'autres espèces pour créer une banque de données qui servira à la création de plantes transgéniques [16]. Monsanto a signé des accords du même type avec la Washington University (Missouri), pour un montant de cent millions de dollars, pour des recherches sur les maladies de « civilisation », telles les maladies auto-immunes, inflammatoires, cardio-vasculaires et les maladies malignes. Cette multinationale finance un laboratoire du Département de botanique et a créé un programme de bourses Searle pour les candidats docteurs provenant d'Amérique Centrale et du Sud dans les domaines de la biologie et des sciences médicales [17]. Monsanto donne également son appui au Centre de bio-informatique qui collabore avec le Centre de séquençage génomique et l'École de médecine. Enfin, avec la Donald Danforth Foundation – le groupe Danforth contrôle Ralston Purina, un des grands de l'alimentation animale [18]–, Monsanto a créé un réseau de recherche en génétique agricole incluant le Jardin botanique du Missouri, la Washington University, l'Université du Missouri (Columbia), Purdue Université et l'Université de l'Illinois à Urbana-Champaign [19].

Par la captation de la recherche publique, les firmes multinationales sont en passe d'imposer leur conception marchande du vivant.

SUPERFICIES CULTIVÉES EN CHIMÈRES GÉNÉTIQUES

De 1986 à 1997, vingt-cinq mille essais de variétés transgéniques ont été menés en champs dans 45 pays sur plus de 60 variétés et 10 traits. Le rythme s'est accéléré puisque 40 % de ces essais ont eu lieu les deux dernières années.

En 1999, 40 millions d'hectares de variétés transgéniques ont été cultivés dans le monde, dont principalement soja, maïs, coton, colza et pommes de terre. Le soja et le maïs transgéniques comptent respectivement pour 54 % et 28 % des surfaces. La tolérance à l'herbicide représente 71 % de la superficie en plantes transgéniques tandis que les plantes insecticides (maïs et coton Bt) en constituent le reste.

Le chiffre d'affaires mondial des plantes transgéniques est passé de 75 millions de dollars en 1995 à 1,5 milliard de dollars en 1998. Il a atteint environ 2,2 milliards en 1999. En 1988, la Fédération internationale des semences avait prévu que ce marché atteindrait 2 milliards en l'an 2000, qu'il triplerait vers 2005 pour décupler vers 2010 [20].

Superficie cultivée en plantes transgéniques (hors Chine)
Source : Inf'ogm, données compilées par F. Prat

La résistance de l'opinion publique européenne à l'agriculture transgénique est en train de déjouer l'auto-réalisation de ces effets d'annonce. Le consommateur refuse d'acheter des produits inutiles qui lui font courir des risques. Avec l'annonce d'OGM « de deuxième génération », qui offriront par exemple une teneur en vitamines renforcée ou des acides gras anti-cholestérol, le complexe génético-industriel compte persuader le public de l'intérêt de ses chimères. L'opinion publique se laissera-t-elle abuser par ces « alicaments » (aliments-médicaments) qui visent à médicaliser notre alimentation sous prétexte de santé ?

Le marché américain des semences transgéniques
Estimations à partir des surfaces plantées en 1998

Monsanto	88 %
Aventis (AgrEvo)	8 %
Novartis	4 %
TOTAL	100 %

Source : RAFI, *Third annual year end report on the « life industry »*, mars/avril 1999.

LE PILLAGE DES RESSOURCES GÉNÉTIQUES

Breveter des gènes, c'est-à-dire des *découvertes*, permet de verrouiller l'accès aux ressources génétiques et à leur utilisation. D'où la frénésie actuelle de dépôt de brevets.

Selon la Convention sur la biodiversité, les accords bilatéraux de prospection génétique doivent être menés sous le contrôle des communautés indigènes et des pays. Depuis décembre 1993, cette convention a été ratifiée par 169 pays. Les signataires sont dans l'obligation de partager les bénéfices provenant de la biodiversité dans un cadre juste et équitable. Mais les pays du Sud se plaignent que cette règle n'est que rarement respectée [21].

En acceptant cette convention, les pays du Sud ont commis une erreur tout autant morale que stratégique : le partage des bénéfices au nom d'un droit que les communautés indigènes auraient sur les ressources génétiques a ouvert la voie à leur privatisation.

En coopération avec l'Université du Ghana et l'organisation non gouvernementale BioRessources International, le Jardin botanique du Missouri – en grande partie financé par Monsanto – a collecté plus de 13 000 espèces pour ses collections de germoplasme. Des accords ont été signés avec l'Institut de botanique de Géorgie et l'Académie des sciences de Tbilissi afin de venir prospecter et collecter du matériel génétique. Des expéditions cofinancées par le World Wild Fund et la National Geographic Society prospectent Madagascar et l'Amérique Centrale – la biodiversité est maximale entre les deux parallèles des Tropiques [22].

Certaines prospections prennent la forme d'une coopération gouvernementale bilatérale. Par exemple, le réseau des National Institutes of Health des États-Unis inventorient les plantes, insectes et micro-organismes à usage potentiel en agriculture et en pharmacie avec l'Université de Panama, le Gorgas Memorial Institute of Health (Panama), le G. W. Hansen's Disease Center en Louisiane, l'Université Stanford, le Walter Reed Medical Research Institute, la Nature Foundation de Panama et Conservation International. Depuis 1998, le Jardin botanique du Missouri a commencé une collection d'aliments sous le nom de Food Library. L'objectif de Monsanto est de posséder un exemplaire de toutes les plantes utilisées par l'être humain au cours de son histoire – aliments, boissons et phytopharmacie. Cette collection sera évaluée par le département de Nutrition de Monsanto afin d'y déceler des possibilités de développement de nouveaux produits diététiques et de suppléments nutritionnels. Un intérêt tout spécial est porté à la Province de Yunnan, en Chine.

QUELQUES EXEMPLES DE PILLAGE DES RESSOURCES GÉNÉTIQUES [23]

Croton ou Sang de Dragon Croton sp

WO 9206695, EP 553253, US 5,211,944

Originaire d'Amazonie, cette plante a été prospectée par Shaman Pharmaceuticals, qui en a isolé un produit pharmaceutique. Au nom de la réciprocité, l'entreprise a laissé quelques milliers de dollars aux populations indigènes sur les millions de dollars que lui rapporte le brevet sur le marché américain.

Momordica charantia

US 5,484,889, JP 6501689, EP 552257, etc.

Ce fruit fut utilisé dans le sud-est asiatique et en Chine pendant des siècles contre les tumeurs et les infections. Les National Institutes of Health, l'US Army et la New York University ont déposé un brevet pour les effets bénéfiques de cette plante contre le virus (HIV) de l'immunodéficience.

Ocotea rodiei

EP 610060, US 5,569,456

Un extrait de cette noix originaire de la Guyane a été breveté par le directeur de la Foundation for Ethnobiology du Royaume-Uni pour de multiples usages médicaux. La Foundation est actuellement en pourparlers avec les grandes entreprises pharmaceutiques pour la négociation d'éventuelles licences.

Patrimoine commun de l'humanité, le vivant est en train de passer dans les mains d'intérêts privés. C'est bien d'un hold-up qu'il s'agit.

Suzanne Pons

« Les chercheurs [publics] n'auront plus à raser les murs lorsqu'ils feront du business »[1]

Ce qu'il faut savoir de Génoplante

Programme scientifico-industriel lancé par le gouvernement français en 1988, Génoplante a pour but de « créer de la propriété industrielle » en génomique végétale, « d'appuyer efficacement les stratégies des partenaires de la filière agro-industrielle européenne [...] dans le cadre d'un partenariat public-privé ». Ce « public » comprend l'INRA, le CIRAD (Centre de coopération internationale en recherche agronomique pour le développement), l'IRD (Institut de recherche pour le développement, ex-Orstom), le CNRS. Dans le privé, on trouve : les entreprises semencières Biogemma (Limagrain et Pau-Euralis, qui ont fait fortune, surtout le premier, dans le maïs « hybride », Unigrain, le fond d'investissement des céréaliers, et Sofiprotéol, société financière des producteurs d'oléagineux et protéagineux) ; Bioplante (Desprez, l'une des grandes maisons de sélection de céréales à paille associé à la Serasem, un semencier filiale de Sigma, une union de 211 coopératives céréalières) ; et la branche agrochimie de Rhône-Poulenc.

Génoplante est piloté par un « comité stratégique » composé du directeur général de l'INRA (qui a siégé au conseil d'administration de Rhône-Poulenc Agrochimie de 1989 à 1994), du PDG de Rhône-Poulenc agrochimie et du président de Limagrain, la seule grande entreprise semencière transnationale encore indépendante.

Le budget de Génoplante est de 1,4 milliard de francs sur 5 ans, dont l'État finance plus de 70 % – mais 40 % représentent en fait un jeu d'écritures comptables consistant à siphonner les crédits publics en cours pour les réaffecter aux labora-

.../...

toires en fonction des priorités (industrielles) de Génoplante. La direction de l'INRA compte ainsi mobiliser 180 chercheurs.

Génoplante s'inscrit dans le projet de contrôle du vivant par un cartel d'entreprises agro-chimico-pharmaceutiques. On y trouve les ingrédients habituels des échecs technocratiques bien français: méconnaissance de la réalité masquée par la phraséologie de la « guerre économique » (au nom de laquelle les chercheurs doivent se mobiliser), ambitions polytechniciennes (les « grands corps » à l'affût de toute occasion de resserrer leur emprise sur la société), anachronisme du champion français (Rhône-Poulenc, absorbé depuis par Hoescht...) à doper pour que restent à la nation quelques miettes du grand dépeçage du vivant.

L'absurdité principale de Génoplante – outre que les chercheurs « publics » ont justement choisi de ne pas « faire de *business* » – est de vouloir faire concurrence aux Américains sur leur terrain : voilà 20 ans que ce pays brevète le vivant à tour de bras – micro-organismes, plantes, animaux, gènes, procédés, etc. Pourquoi aller combattre sur un tel terrain soigneusement balisé de cabinets internationaux d'avocasserie ?!

Si notre pays avait un nouveau message de liberté à apporter au monde, ce serait de proclamer le vivant non appropriable par quelque moyen que ce soit. Il est évident que c'est même là notre intérêt bien compris.

JEAN-PIERRE BERLAN

1. Déclaration de Claude Allègre, ministre de la Recherche, lors de l'inauguration de Génoplante en octobre 1998.

(Cet encadré fait référence à un texte de Jean-Pierre Berlan, Jean-Louis Durand, Alain Roques et Pascal Tillard, « Génoplante, une erreur stratégique », initialement publié in *Informations ouvrières*, 11-17 août 1999, n° 397).

La directive européenne 98/44 & la santé

« Brevetabilité des inventions biotechnologiques » ou « privilège sur les découvertes biologiques » ?

DANS LE DOMAINE AGRICOLE, la directive européenne 98/44 sur les brevets crée, pour un cartel de transnationales, un privilège sur la reproduction des plantes et des animaux. Alors que les médicaments font depuis longtemps l'objet de brevets, quel objectif mystifié cette directive poursuit-elle dans le domaine médical et pharmaceutique ?

Depuis Adam Smith, la « main invisible » du marché *concurrentiel* est censée mettre les égoïsmes individuels au service de l'intérêt général. Le droit classique du brevet poursuit cet objectif smithien. Il accorde à l'inventeur un monopole *temporaire* de l'exploitation d'une invention à condition qu'elle soit décrite de façon à ce que toute personne de l'art puisse la reproduire. Si le monopole récompense l'inventeur, ce monopole et la publicité de l'invention encouragent les autres inventeurs à détruire le monopole initial. Le brevet est une construction juridique subtile et dynamique qui organise la destruction de ce qu'il a construit avec l'objectif explicite (à la différence de la « main invisible ») de mettre les égoïsmes individuels au service de l'intérêt général.

Tout repose sur la perfection de la concurrence : un grand nombre d'inventeurs, agissant indépendamment les uns des autres, libres d'entreprendre et disposant d'une information complète. Mais à l'époque actuelle, l'invention est une activité routinière planifiée de façon industrielle dans des cartels industriels mondialisés. La mythologie des *start-up* entretient l'illusion de la libre-entreprise créative et indépendante : les *start-up* n'ont d'autre destin que mourir (le cas général) ou d'être rachetée si l'idée sur laquelle elles ont été fondées (avec l'appui intéressé d'une grande entreprise) débouche sur des profits. Le brevet n'est qu'un moyen parmi d'autres dans la course aux profits et à la croissance. Son effet stimulant sur le « progrès » pourrait bien n'être qu'une idée reçue. De fait, aucune étude empirique globale ou sectorielle n'a réussi à la mettre en évidence, sauf peut-être dans la chimie-pharmacie. Avant d'étendre le brevet au vivant, nos gouvernants devraient en toute logique s'assurer qu'il a bien les vertus qu'ils lui prêtent.

En médecine, l'autre grand domaine de la biologie appliquée, le brevet a longtemps suscité des réserves. Ainsi celui des médicaments. Ce n'est que tout récemment que certains pays comme l'Inde ont dû, sous la pression de l'OMC, modifier leur législation sur le droit des brevets pour y inclure les médicaments. Faut-il rappeler que, en 1940 encore, breveter un médicament était sacrilège aux États-Unis ? Dix ans plus tard, avec le développement des antibiotiques, le brevet est devenu, dans ce nouveau domaine, la règle[1]. Il a permis le contrôle monopolistique du marché des médicaments et sa concentration. L'industrie pharmaceutique se flatte de dépenser 10 % de son chiffre d'affaires dans la recherche mais se garde de dire qu'elle en consacre le double à étroitement contrôler son marché en réduisant les médecins au rôle de « prescripteurs ».

Quel est l'intérêt *public* de renforcer la mainmise d'un cartel de transnationales sur la santé et l'agriculture en étendant le droit de brevet au vivant ? D'autant plus qu'un mouvement de concentration considérable a permis la constitution de groupes pharmaceutiques de taille mondiale : Glaxo Welcome fusionne avec Smithkline Beecham ; Aventis réunit Rhône-Poulenc et Hoescht ; Novartis qui résultait du rapprochement en 1997 de Ciba-Geigy et de Sandoz fusionne maintenant avec le groupe anglo-suédois Astra-Zeneca, lui-même formé en 1999 ; Monsanto rejoint Pharmacia-Upjohn ; Pfizer et Warner-Lambert s'unissent comme auparavant Sanofi et Synthelabo. Et le mouvement n'est pas terminé.

En réalité, on fait maintenant dériver le droit de brevet vers celui de la « propriété intellectuelle » – qui, selon Seth Shulman, « désigne des espèces d'idées abstraites que l'on cherche à breveter. Plutôt que de protéger une innovation donnée, le système actuel autorise souvent le contrôle exclusif d'un concept large. […] C'est toute la différence entre un brevet sur un piège à souris amélioré et un monopole sur l'idée de piège à souris [2]».

L'Office européen des brevets (OEB) prend aujourd'hui ses décisions en matière de brevet sur le vivant à partir de la Convention européenne de 1973, laquelle ne disait mot des « inventions biotechnologiques » – et pour cause : Cohen et Boyer n'avaient pas encore fabriqué leur première chimère. En l'absence de base juridique claire, les décisions de l'OEB sont susceptibles d'être contestées. La directive cherche donc – « marché commun » oblige – à harmoniser les pratiques dans l'Union européenne et, par extension, dans les autres États ayant signé la Convention.

L'intitulé de cette directive est une tromperie à double titre. Tout d'abord parce qu'elle fait du vivant, objet de découverte, le résultat d'une invention : son objet est de breveter une conception du vivant réduit à une « matière biologique* ». Accoler le terme de « matière » à celui de « biologique » pour désigner le vivant permet d'échapper à une disposition du droit de brevet qui exclut tout organisme vivant de la brevetabilité – du fait que les processus biologiques, à la différence des mécanismes physiques et chimiques, ne peuvent être prédits et contrôlés. Les deux principales techniques de transfert de l'ADN sont la biolistique (mitraillage des cellules avec de minuscules billes métalliques revêtues d'ADN) et un missile biologique chargé d'ADN (un plasmide d'*Agrobacterium tumefaciens*, une bactérie qui produit une forme de cancer chez les plantes). On compte donc sur le hasard pour produire quelque chose de profitable : cette extension du droit de brevet au vivant paraît bien reposer sur un coup de force juridique.

La deuxième tromperie de ce texte – qui intéresse au premier plan le complexe génético-industriel – est d'organiser le brevetage des gènes, c'est-à-dire de breveter des *découvertes* – ce qui transforme profondément le droit de brevet.

La vérité est dans les détails, dit-on. Au sein d'une société bureaucratique opaque, l'exercice de la démocratie impose d'être fastidieux. Voici quelques dispositions commentées de cette directive.

I. Du brevetage du vivant

Le vivant est un processus ouvert et non un mécanisme déterministe : la « matière vivante » ne pourrait donc être brevetable que si elle était morte. La directive a besoin d'éliminer la différence entre *découverte* et *invention*. L'article 3 ß2 précise en effet qu'une matière biologique isolée de son environnement naturel ou produite à l'aide d'un procédé technique peut être l'objet d'une invention, « même lorsqu'elle préexistait à l'état naturel ». Tous les gènes isolés ou clonés ou les séquences de gènes provenant de végétaux, d'animaux ou d'humains peuvent ainsi être brevetés et devenir la propriété d'un chercheur, d'une institution ou d'une transnationale – même s'ils existent depuis des millions d'années. Contournant la difficulté inhérente au vivant, la directive n'exige que le « dépôt d'un exemplaire de l'invention protégée » (article 13). Enfin, critère habituel d'obtention d'un brevet, la condition de stricte reproductibilité des résultats d'une invention n'est plus exigée.

II. Du brevetage de l'humain

L'article 5 ß1 est éthiquement correct : « Le corps humain, aux différents stades de sa constitution et de son développement, ainsi que la simple découverte d'un de ses éléments, y compris la séquence ou la séquence partielle d'un gène, ne peuvent constituer des inventions brevetables. »

Mais le ß2 revient au réalisme économique pour affirmer le contraire : « Un élément isolé du corps humain ou autrement produit par un procédé technique, y compris la séquence ou la séquence partielle d'un gène, peut constituer une invention brevetable même si la structure de cet élément est identique à celle d'un élément naturel. »

Cette conception s'oppose aux positions d'instances comme le Comité international de bioéthique de l'Unesco (25 juillet 1997) et le Comité consultatif national d'éthique français. Ce dernier affirmait le 2 décembre 1991 que les séquences d'ADN, codantes ou non codantes, ne sont pas brevetables et doivent rester accessibles à toute la communauté scientifique sous forme de base de données. En 1993, l'Académie des sciences (France) s'est prononcée dans le même sens.

III. Du brevetage des thérapies

La Convention européenne sur les brevets, comme l'accord relatif aux aspects des droits de propriété intellectuelle qui touchent au commerce (ADPIC) de l'OMC, exclut les techniques thérapeutiques et diagnostiques de la brevetabilité.

Dès lors que des cellules ou des gènes humains sont brevetables, l'usage thérapeutique qui peut en être fait devient lui aussi couvert par le brevet.

IV. Du bien-être animal

La Commission européenne a supprimé la référence explicite aux handicaps corporels subis par les animaux. Ce qui rend les animaux transgéniques handicapés brevetables (article 6 ß2d). Il suffira d'invoquer l'utilité médicale pour breveter un animal.

V. Du Comité d'éthique

La Commission européenne a supprimé la mission du Comité d'éthique qui visait à évaluer les aspects éthiques des brevets.

En somme et clairement, dans le domaine médical, il ne s'agit pas de « brevetabilité des inventions biotechnologiques » mais de la « création d'un privilège sur les découvertes en biologie ».

POURQUOI IL FAUT REJETER LE BREVET DU VIVANT

La fusion de Glaxo Wellcome et SmithKline Beecham (17 janvier 2000) nous apprend que la puissance du nouveau groupe repose en grande partie sur « une force de vente de 40 000 personnes » parmi 105 000 employées. Aux seuls États-Unis, 7 600 visiteurs médicaux ont pour mission de transformer les médecins en prescripteurs [3].

Quels sont les effets du brevet? Président de Médecins sans frontières, James Orbinski indique que, au Kenya, le traitement contre la méningite opportuniste du sida par le fluconazole coûte 120 francs par jour. Il ne coûte que 4 francs par jour en Thaïlande. Au Kenya, le fluconasole est breveté. Il ne l'est pas en Thaïlande. Au Kenya, les malades meurent. Il est de notoriété publique que certaines maladies tropicales pourraient être guéries par des médicaments qui existent. Certains sont même disponibles en stocks. C'est le cas de la maladie du sommeil, qui fait un retour en force. Mais, ces malades n'étant pas solvables, ces médicaments restent dans les stocks. Allons-nous en être réduits à supplier les philanthropes de soulager les maux que l'extension de leur sphère marchande crée [1] ?

Les médicaments sont déjà brevetés. Pourquoi ajouter avec le brevet des gènes le monopole au monopole ? Il s'agit de permettre la prise de contrôle en cascade de tout ce qui pourra concerner une pathologie, du diagnostic aux thérapies éventuelles – comme le montrent les brevets de Myriad Genetics sur les gènes de prédisposition au cancer [4]. Dans le partage mondial qui s'annonce, on peut douter que la recherche publique puisse défendre ses intérêts dans les batailles juridiques où il lui faudra avancer des millions de dollars pour un résultat incertain. Faut-il dans ces conditions renforcer encore le pouvoir d'un cartel de multinationales sur notre santé et notre vie ?

La défense de l'intérêt public suggère une politique diamétralement opposée : au lieu de privatiser la recherche publique, *rendre publique* cette recherche privée afin que les talents stérilisés sous le joug du profit et les sommes englouties dans l'effort de vente soient mis au service des hommes – et en premier lieu du tiers-monde. Les *stocks-options* peuvent-elles annihiler le sentiment moral de scientifiques dont les compétences sont utilisées à « contre-science » ? Car l'on doit prendre au sérieux l'idéologie universaliste et progressiste dont se réclament les scientifiques publics *et* privés.

---

1. Le patron de Microsoft, Bill Gates, a été sollicité pour financer l'écoulement des stocks de médicaments.

Pourquoi arrêter aux portes de conseils d'administration de l'industrie pharmaceutique le « devoir d'ingérence » ? La santé est un droit, pas une marchandise.

Où en est-on aujourd'hui ? Contrairement à ce qu'on pouvait craindre, la transposition de la directive 98/44 ne se fera pas sans heurts. Deux États membres de l'Union européenne, l'Italie et les Pays-Bas, avaient introduit un recours devant le Cour de justice (19 octobre 1998) demandant l'annulation de la directive pour sa violation de certains droits fondamentaux et conventions internationales comme la Convention sur la biodiversité. Selon Raoul Marc Jennar, la directive (« un monstre juridique ») ne violerait pas moins de huit instruments internationaux [5]. Membre de l'espace économique européen et partie à la Convention européenne sur les brevets de 1973, la Norvège s'est jointe à cette action en justice (19 mars 1998). En septembre 1999, l'Assemblée parlementaire du Conseil de l'Europe se déclare consciente que de « graves réserves s'opposent à la brevetabilité d'organismes vivants » (recommandation 1425). Après avoir pris acte de l'action en annulation introduite par les Pays-Bas et l'Italie, elle a considéré que « les monopoles accordés par les autorités responsables des brevets peuvent ruiner la valeur des ressources génétiques régionales et mondiales et les connaissances traditionnelles des pays qui donnent accès à ces ressources. L'objectif de partager les avantages retirés de la valorisation des ressources génétiques n'implique pas nécessairement la détention d'un brevet, mais requiert un système équilibré pour la protection à la fois de la propriété intellectuelle et du patrimoine commun de l'humanité. Ni les gènes, ni les cellules, ni les tissus, ni les organes d'origine végétale, animale, voire humaine ne doivent être considérés comme des inventions ni faire l'objet de monopoles accordés par des brevets ».

Plusieurs pétitions signées par de nombreuses personnalités d'horizons divers sont depuis quelque temps largement diffusées. Elles demandent le retrait de la directive. Au sein de plusieurs gouvernements (Danemark, Allemagne, Belgique, France), des voix s'élèvent contre la transposition d'un texte de plus en plus controversé dont on a un peu trop vite négligé les aspects scandaleux. En France, la pétition du professeur Mattei contre le brevet sur les gènes humains a forcé en juin 2000 le gouvernement français à repousser la transposition de la Directive européenne qu'il s'apprêtait à faire en catimini.

Plutôt que de s'engager dans la voie du brevet sur le vivant, en réalité de la création d'un privilège pour un cartel de transnationales dans les domaines jumeaux de la biologie appliquée, l'agriculture et la santé, les gouvernements européens se doivent d'agir par tous les moyens pour que le vivant reste inappropriable par quelque moyen que ce soit.

Paul Lannoye &
Jean-Pierre Berlan

Restaurer des espaces de liberté

Le maïs « hybride » crée un privilège pour les industriels « semenciers » aux dépens des agriculteurs. Comment ces derniers peuvent-ils cesser d'être rançonnés?

Commencer par simplement nourrir les animaux à l'herbe permet, dans bien des cas, de diminuer la charge de travail en augmentant les gains de l'agriculteur : faire produire par la nature ce qui l'était à grands à coup de fournitures industrielles [1]. Ainsi François, Dufour (ancien porte-parole de la Confédération paysanne) n'a cessé de « désintensifier » son petit élevage laitier (30 hectares, 30 laitières) pour échapper aux griffes du Crédit agricole et des industriels [2]. Mais l'Europe piège les agriculteurs en primant le maïs (2 600 francs par hectare) aux dépens de l'herbe (non subventionnée). C'est un choix politique.

Des agriculteurs biologiques produisent des maïs avec des rendements satisfaisants et des coûts de production réduits. Raoul Jacquin de la Confédération paysanne, produit 55 quintaux par hectare d'un maïs de pays riche en protéines pour son élevage de volailles. Il refuse les primes européennes. Vaut-il mieux produire 55 quintaux par hectare que l'on conserve presque entièrement les bénéfices ou 100 quintaux dont ne reste pas grand-chose une fois achetés herbicides, pesticides, engrais et semences – et envoyer la facture des pollutions au contribuable?

L'agriculteur peut aussi faire ses propres semences. Le secret de la technique des « hybrides » repose sur l'utilisation de la forme la plus drastique de dépression consanguine, la

.../...

dépression d'autofécondation, qu'il faut donc limiter, voire éliminer du champ du paysan. Une possibilité est de produire des semences en croisant les « hybrides » de deux entreprises. C'est un retour à la technique dite des « hybrides doubles » de croisement de pools génétiques différents. De tels « hybrides doubles » pourraient avoir un rendement voisin de celui des meilleures plantes captives avec un coût de production de semences par hectare de quelques dizaines de francs. Nicolas Jacquet, de la Coordination rurale, fait des expériences dans ce sens [3].

Une autre possibilité est de faire des variétés-populations dites synthétiques en cultivant ensemble des « hybrides » disponibles sur le marché. L'inconvénient est une baisse probable de rendement par rapport aux meilleures plantes captives du marché mais l'avantage est un coût de production de semences presque nul puisque le grain récolté est utilisé comme semence l'année suivante. Dans les deux cas, la difficulté est de choisir la meilleure combinaison de plantes reproductibles. Mais l'INRA, c'est son rôle, apportera avec enthousiasme son aide à nos maïsiculteurs indépendants pour leur permettre de lutter à armes égales contre leurs concurrents industriels.

JEAN-PIERRE BERLAN

1. Lire André Pochon, *Les champs du possible. Plaidoyer pour une agriculture durable*, Syros, 1998.
2. J. Bové, F. Dufour & G. Luneau, *Le Monde n'est pas une marchandise*, La Découverte, 1999.
3. Nicolas Jacquet, de la Coordination rurale, fabrique ses semences de maïs hybride (lire Jean-Marie Noël, *La France agricole*, 1er septembre 2000)

Faire la paix avec le vivant

LE COMPLEXE GÉNÉTICO-INDUSTRIEL vient de perdre une bataille : intégrer le vivant au sein d'un cartel chimico-pharmaceutique. Ses « sciences de la vie » n'ont pas résisté à la défaite : c'est à qui se débarrassera le plus vite de l'agrochimie et des OGM au profit de la pharmacie qui offre aux investisseurs un marché aux profits immenses.

Mais cette défaite ne signifie pas la fin des hostilités car la confiscation du vivant est inscrite dans la logique du capital et cet objectif ne disparaîtra qu'avec lui. *Tous* les moyens seront bon pour y parvenir [1]. Les industriels procèdent déjà avec plus de subtilité, utilisant le chantage à la compassion [1]. Le riz transgénique enrichi en vitamine A pour prévenir la cécité des enfants du tiers-monde annonce toutes les manipulations à venir. « On peut seulement espérer que cette utilisation du génie génétique pour améliorer la misère humaine sans

1. Le complexe génético-industriel ne vient-il pas d'annoncer (4 avril 2000) qu'il consacrera 52 millions de dollars dans les années à venir pour nous faire manger ses OGM ?

considération pour le profit à court terme rendra cette technologie politiquement acceptable. [2]»

Commençons ne pas nous laisser berner par les solutions provisoires comme les moratoires [I], l'étiquetage, la traçabilité ou la séparation des filières OGM des filières conventionnelles. Il était nécessaire d'engager ces batailles face au coup de force (un de plus) qui, au nom du principe « d'équivalence en substance », voulait mettre, à notre insu et sans tests toxicologiques, les chimères génétiques dans nos assiettes [II]. Mais l'étiquetage est un leurre : d'une part, les tests dépendent des informations sur la construction génétique fournies par le producteur qui ne les divulguera pas au nom du secret commercial ; d'autre part, ces tests seront vite impossibles lorsque des dizaines de versions transgéniques de toutes les plantes cultivées seront sur le marché et que la pollution génétique sera omniprésente.

La pollution génétique est pire que la pollution chimique. Le vent, la pluie et les rivières transportent des polluants comme les désherbants parfois à des dizaines ou des centaines de kilomètres et les déposent dans les champs à l'insu des agriculteurs. Cette pollution chimique mène sa propre vie – si l'on peut dire : les polluants se concentrent dans la chaîne alimentaire, entrent en synergie avec

I. Un moratoire est une étape nécessaire dans la lutte contre l'agriculture transgénique, mais c'est un leurre à plus long terme : en permettant la poursuite des recherches sur l'agriculture transgénique aux dépens de solutions agronomiques intelligentes et durables, il participe à l'auto-réalisation de la propagande transgénique.

II. Comme l'observe Gilles-Éric Séralini, c'est bien la première fois que des firmes ne veulent pas faire de publicité pour des produits dont elles vantent par ailleurs les vertus !

d'autres et multiplient leur capacité de nuisance. Elle touche ainsi tous les êtres vivants, jusque dans les milieux en apparence les plus préservés. Mais la pollution génétique est, elle, bien vivante. Le pollen des chimères génétiques emporté au loin par le vent et les insectes (en particulier les abeilles) contamine les plantes cultivées voisines et les plantes sauvages apparentées. La chaîne de contamination suit les voies de transport, du champ à la ferme, le long des routes, et du silo de chemin de fer au silo portuaire. Cette dissémination s'interrompt-elle sur les océans ? Sans doute, mais nul ne le sait avec certitude. Elle reprend en tout cas à des milliers de kilomètres, entre le port et l'usine de transformation ou les champs du pays d'exportation. Puis des mutations surviennent, qui confèrent au transgène une capacité accrue de nuisance. La pollution génétique vit, se recombine, se transforme, s'étend par des voies que l'on commence tout juste à explorer [1].

Les États-Unis ont une avance incontestable sur l'Europe dans les biotechnologies agricoles. Et leur gouvernement fait preuve de franchise et de réalisme. En excluant l'étiquetage, la ségrégation des filières, le principe de précaution et les moratoires, il dit clairement qu'il a fait le choix de l'agriculture

1. Un procès crucial est en cours au Canada. Un agriculteur, M. Schmeiser, que Monsanto a traîné devant les tribunaux pour « piratage », a contre-attaqué en accusant cette entreprise d'avoir pollué ses champs de colza avec son colza transgénique tolérant au Roundup. Si le délit de pollution génétique est établi, et si le producteur de chimères (et non le voisin qui les semées) en est responsable, l'avenir de l'agriculture chimérique sera sombre. Regrettons que les tribunaux soient appelés à trancher une question qui relève du politique.

transgénique. Le gouvernement français préfère se cacher derrière d'innombrables commissions et laisser s'organiser la diffusion irréversible du « smog génétique » à la fois dans la nature et dans l'alimentation pour nous mettre devant le fait accompli sans assumer sa responsabilité politique.

L'agriculture chimérique est un choix de société irréversible : il poursuit le mouvement d'expropriation du vivant entamé au XIXe siècle avec les plantes qui se « détérioraient » dans le champ du paysan, et suivi au XXe siècle par les « hybrides » captifs. Cette nouvelle mystification scientifique, menée comme d'habitude au nom du progrès et de la philanthropie, est une étape décisive de notre asservissement marchand. Elle exclut la recherche de solutions durables aux pollutions agricoles, à l'insalubrité et à l'insécurité agricoles et alimentaires, à la désertification des campagnes. Cette mystification organise les futures famines dans une fuite en avant jusqu'au chaos biologique final.

Au projet politique de l'agriculture chimérique – en somme une agriculture *jetable* (Gilles-Éric Séralini) – des soi-disant « sciences de la vie », nous opposons l'agriculture *durable* qui insiste sur les *rapports des hommes entre eux* : un « modèle d'organisation sociale et économique » qui permet « une agriculture écologiquement saine, économiquement viable, socialement juste, culturellement appropriée et fondée sur une démarche scientifique globale » [3]. Cette conception s'oppose point par point à l'agriculture chimérique et à l'agriculture « raisonnée », contre-feu des tenants du productivisme [1].

---

1. La FAO proposa en 1998 une autre conception de l'agriculture durable : « La gestion et la conservation des ressources naturelles et

Au projet de « maîtrise de la nature » de l'agriculture industrielle qui conduit à la spécialisation et à la monoculture et repose sur l'utilisation massive d'intrants chimiques et d'énergie, nous opposons celui d'une coopération amicale avec la nature, qui utilise sa caractéristique essentielle, la diversité, pour construire des systèmes de production robustes demandant un minimum d'interventions.

Au projet des transnationales de nous déposséder de notre avenir scientifique et technique en matière d'agriculture, d'alimentation et de santé, nous opposons notre volonté d'en garder le choix.

À la privatisation de la recherche publique au profit des transnationales agrochimiques et pharmaceutiques nous opposons le contrôle public de la recherche privée afin d'en mobiliser les talents scientifiques au service de tous au lieu de les dévoyer dans des projets monstrueux tels que la stérilisation des plantes et des animaux ou de les gaspiller à l'effort de vente.

À la cartellisation marchande des ressources génétiques et à leur pillage, nous opposons la mondialisation non marchande des ressources génétiques, le partage des connaissances et la coopération internationale dans les deux domaines jumeaux de la biologie appliquée, l'agriculture et la santé.

Aux mystifications de l'agronomie et de la biologie modernes, à l'enfermement micro-disciplinaire et institutionnel des chercheurs qui conduit à leur

l'orientation du changement technique et institutionnel de façon à assurer la satisfaction continue des besoins humains des générations actuelles et futures ». Celle-ci nous semble n'être qu'une nouvelle relation technique aux choses.

asservissement marchand, nous opposons créativité, lucidité, émancipation et ouverture sur le monde.

Au réductionnisme biologique et à son étroite rationalité de laboratoire qui débouche sur une irrationalité d'ensemble, nous opposons une démarche scientifique qui reconnaît l'autonomie de chaque niveau de complexité et fait de l'agriculteur un acteur de la construction des connaissances scientifiques et des pratiques agronomiques.

Aux impostures du complexe génético-industriel qui rendront irréversibles le désastre de quarante ans de productivisme sous prétexte d'en corriger les excès, qui achèveront la mise sous tutelle des paysans et la cartellisation de l'alimentation pour déboucher sur une l'insécurité et l'insalubrité alimentaires accrues et la famine, nous opposons l'autonomie, le respect des êtres vivants et de la nature.

Au privilège des transnationales sur le vivant nous opposons l'abolition des privilèges.

À la guerre économique et à la guerre contre le vivant nous opposons la paix.

Le vivant est inappropriable, par quelque moyen que ce soit.

JEAN-PIERRE BERLAN

QUELQUES TERMES DE LA NOVLANGUE BIOTECHNOLOGIQUE

Le succès des « hybrides » a reposé sur la mystification sémantique de leur enjeu. Pour comprendre ce qui était en cause, nous avons renversé chacune des affirmations les mieux établies des sciences agronomiques. La guerre secrète que l'économie politique fait au vivant depuis qu'il est un enjeu économique (au moment de la Révolution industrielle pour les animaux, un siècle plus tard pour les plantes) s'est brutalement intensifiée avec les chimères génétiques qui parachèvent son instrumentalisation à des fins de profit. Comme dans toutes les guerres modernes, la propagande est essentielle. George Orwell en a décrit la forme totalitaire, à vrai dire fruste par rapport à ce que permettent les techniques modernes de contrôle social par la « communication ». En vidant, détournant ou inversant le sens des mots, il s'agit de rendre impossible de penser la réalité. Voici quelques termes de la novlangue biotechnologique, leur explication et leur traduction. Dans une société de « communication » (du haut vers le bas), se réapproprier le langage est essentiel.

SCIENCES DE LA VIE *dites aussi* BIOTECHNOLOGIES *ou plutôt* NÉCROTECHNOLOGIES

Les transnationales des « sciences de la vie » produisent des pesti*cides*, des fongi*cides*, des bactéri*cides*, des herbi*cides*, des gaméto*cides* – bref, des biocides. Elles ont racheté les « semenciers » traditionnels pour élargir leurs marchés en commercialisant des « kits » semences + biocides. Les immenses profits qu'elles anticipent sur leur contrôle accru de la production agricole et alimentaire exigent de dépouiller les plantes et les animaux de la faculté la plus fondamentale des êtres vivants : se reproduire et se multiplier. Leur objectif est de faire des êtres vivants en quelque sorte stériles. Des sciences de la mort se déguisent ainsi en « sciences de la vie ».

BIOLOGIE MOLÉCULAIRE *en fait un* RÉDUCTIONNISME MOLÉCULAIRE EN BIOLOGIE

Forgée en 1938 par Warren Weaver, directeur des sciences naturelles de la Fondation Rockefeller, le terme de « biologie moléculaire » désigne un programme réductionniste de recherche aboutissant à un « contrôle de la nature grâce à la manipulation de fragments miniaturisés de matière [1] ». Ce programme s'inscrit dans l'objectif politique des élites américaines de créer une nouvelle « science de l'homme » fortement imprégnée d'eugénisme et fondée sur « les théories actuelles et futures et les techniques de contrôle social [2] » et d'ingénierie humaine. D'une manière générale, en gommant les niveaux successifs de complexité du génome, de la cellule, de l'organe, de l'organisme et de la société, la biologie moléculaire est un nouvel avatar de la « bête machine » cartésienne et le fondement de l'idéologie totalitaire du « tout génétique ».

GÉNIE GÉNÉTIQUE *ou* INGÉNIERIE BIOMOLÉCULAIRE, *pour dissimuler du* BRICOLAGE GÉNÉTIQUE

Ces termes impliquant des procédés sûrs, maîtrisés, reproductibles et fondés sur des connaissances scientifiques solides travestissent des bricolages hasardeux produisant des résultats difficilement reproductibles et fondés sur une épistémologie de pacotille. Dolly « réussit » à la 278e tentative.

ORGANISME GÉNÉTIQUEMENT MODIFIÉ *ou* **OGM** *mais depuis son origine* **CHIMÈRE GÉNÉTIQUE**

Tous les animaux et presque toutes les plantes sont « génétiquement modifiés » : ils sont le résultat original d'un brassage de dizaines de milliers de gènes avec quelques mutations. Le terme OGM est en ce sens dénué de signification. Il a été mis sur le marché pour donner l'impression sécurisante qu'il s'agirait simplement de poursuivre le processus de sélection artificielle commencé avec la domestication des plantes – ce que proclament les biotechniciens qui, sans craindre la contradiction, affirment simultanément le caractère révolutionnaire de leurs techniques. Tout au contraire, la transgénèse (comme son nom l'indique) transgresse les barrières de la sélection naturelle pour créer des êtres vivants mélangeant des espèces voire des genres différents – des chimères [1].

Il y a vingt ans, le brevet accordé à Boyer et

1. Mais il y a mieux : un groupe de 37 « partenaires » réuni à l'instigation de la FNSEA (syndicat majoritaire des agriculteurs) sous la responsabilité scientifique de l'INRA pour promouvoir l'agriculture transgénique en dépit de l'opposition de l'opinion publique conclut sérieusement que « la création d'un logo comportant une allégation positive de type "génétiquement amélioré" reste une voie d'avenir à explorer systématiquement ». Sous le titre *Pertinence et faisabilité d'une filière « sans OGM »* (INRA, 1999), ce projet constitue une manipulation du langage typiquement orwellienne : car il s'agit de

Cohen pour la première manipulation génétique portait sur une « chimère fonctionnelle ». C'est le terme que nous retiendrons.

CONTRÔLE DE L'EXPRESSION DES GÈNES *plus justement appelé* TERMINATOR

« La Delta and Pine Land Company, cotée sous le nom de DPL à la Bourse de New York, annonce [le 3 mars 1998] qu'elle a obtenu le brevet n° 5723765, intitulé "Contrôle de l'expression des gènes". DPL détient ce brevet conjointement avec les États-Unis d'Amérique représentés par le ministre de l'Agriculture. Le brevet s'applique à *toutes* les espèces de plantes et de semences, à la fois transgéniques et conventionnelles. Il s'agit d'un système qui contrôle la viabilité de la descendance d'une semence sans nuire à la récolte. Sa principale application sera d'empêcher l'utilisation sans autorisation de semences de variétés protégées (appelées « *brown bagging* » – semences « de ferme » ou « au noir ») en rendant cette pratique non-économique puisque les semences non autorisées ne germeront pas. Le brevet permettra d'ouvrir des marchés mondiaux à la vente de technologies transgéniques pour les espèces dont l'agriculteur utilise couramment le grain récolté comme semence. »

---

mettre en place l'agriculture transgénique ! Parmi les partenaires de cette dérive typique de la recherche « publique », on trouve l'Union des industries de protection phytosanitaire (les transnationales biocidaires), les industriels de l'alimentation animale et le banc et l'arrière-banc des organisations liges de la FNSEA.

Annoncée en fanfare par la Delta and Pine Land et le ministère américain de l'Agriculture, cette technologie de stérilisation biologique des plantes est tournée *contre les paysans, et particulièrement contre ceux du tiers-monde*. Elle fut très justement baptisée « Terminator » par Pat Mooney, de l'ONG canadienne Rural Advancement Fund International.

PLANTE RÉSISTANTE À..., PLANTE BT, BIOPESTICIDE *ou, plus exactement,* CHIMÈRE INSECTICIDE

Ces chimères génétiques associent un gène tronqué de bactérie (*Bacillus thurigiensis* – Bt) à un promoteur viral, le tout affublé d'un gène marqueur de résistance aux antibiotiques venant d'une bactérie. La chimère insecticide produit une molécule qui n'existe pas dans le complexe d'insecticides naturels produit par la bactérie Bt. Appliqué au maïs, il s'agit de lutter contre un insecte foreur, la pyrale.

L'affaire du papillon Monarque empoisonné par le pollen du maïs insecticide Bt m'a conduit à poser à mes collègues de l'INRA une question évidente : « Si le pollen du maïs Bt contient suffisamment d'insecticide pour tuer les chenilles du Monarque, quelle quantité d'insecticide un champ de maïs Bt relâche-t-il par rapport à un traitement contre la pyrale ? » Pas de réponse... Celle-ci est venue de Charles Benbrock, ancien secrétaire de la section agronomie de l'Académie nationale des sciences (États-Unis) : « On ne fait en général pas de traitement contre la pyrale » – ce qui explique qu'il n'y ait pas eu de réduction de l'utilisation de pesticides aux États-Unis. Si l'on faisait un traitement, « ma meilleure estimation (*best guess*) serait qu'un champ de maïs ou de coton Bt produit de 10 000 à 100 000 fois plus de Bt que ce qu'utiliserait un agriculteur employant de façon intensive des traitements Bt ».

En résumé, l'expression « résistant à » permet d'introduire, sans test de toxicologie puisqu'il s'agit d'une méthode écologique, un traitement *nouveau*, avec un insecticide *nouveau*, à des doses *10 000 à 100 000 fois supérieures* à celle que l'on *utiliserait si l'on traitait*.

Quant aux plantes « résistantes » à un herbicide, elles stockent ce produit dans leurs tissus sans en mourir. *L'herbicide entre donc dans la chaîne alimentaire* – sans contrôle approfondi. Le terme qu'il faudrait employer est celui de « tolérant » aux herbicides. Parler de « résistance » a pour fonction d'éviter les tests longs et coûteux qu'impose la diffusion d'un nouveau pesticide et des études de la toxicologie chronique d'herbicides ingérés à des doses supérieures aux normes des produits agricoles. De tels tests rendraient en effet ces chimères *non rentables* car le renouvellement des variétés est beaucoup plus rapide que les tests de toxicologie [3].

PRIVILÈGE DE L'AGRICULTEUR *pour couvrir le* PRIVILÈGE DES TRANSNATIONALES

Semer le grain récolté serait le « privilège de l'agriculteur ». Cette inversion de la réalité consiste à dénoncer un privilège inexistant des paysans pour conférer aux transnationales des « sciences de la vie » un *privilège* bien réel : celui de la reproduction des plantes et des animaux – aux dépens de la collectivité.

MATIÈRE VIVANTE *ou* MATIÈRE BIOLOGIQUE *en lieu et place du* VIVANT

Oxymore (du grec *oxys* aigu et *moros* obtus : contradiction dans les termes), la « matière vivante » désigne l'ADN, doté pour l'occasion de facultés *d'autoreproduction* [1] – bien que personne, pas même un biologiste moléculaire, n'ait jamais constaté un phénomène aussi extraordinaire. Ce tour de passe-passe sémantique permet de contourner le fait que le droit de brevet exclut le vivant de la brevetabilité tandis que la « matière vivante » devient, elle, brevetable.

ÉQUIVALENCE EN SUBSTANCE *ou plutôt* MASCARADE DE L'...

Principe selon lequel une fraise contenant un gène de poisson, un gène « marqueur » de résistance aux antibiotiques et un promoteur de préférence viral est « substantiellement » équivalente à une fraise ordinaire à partir du moment où elle a une composition physico-chimique similaire. L'*équivalence en substance* n'est qu'un « jugement commercial et politique sous une mascarade scientifique [4] » permettant de court-circuiter les

1. Par exemple, l'article 2, alinéa 1a de la directive européenne 98/44 définit la matière biologique : « une matière contenant des informations génétiques et qui est autoreproductible ou reproductible dans un système biologique ».

essais de toxicologie et organisant le viol du consommateur qui ingérera des chimères génétiques à son insu et contre sa volonté.

NON-BREVETABILITÉ DES GÈNES HUMAINS *parce que* TOUT EST BREVETABLE

Le 14 mars 2000, MM. Clinton et Blair se prononçaient contre la brevetabilité des gènes humains. Ils furent suivis, le 27 juin, par le G8 réuni à Bordeaux. On pouvait subodorer une manipulation. À juste titre. Tout d'abord, cette déclaration conduisant à rendre brevetables tous les gènes « non humains », elle posait la question de savoir ce qu'est un gène « humain ». Le complexe génético-industriel et ses juristes feront observer (à juste titre) que la plupart de nos gènes sont communs avec les autres mammifères et les autres espèces vivantes. L'homme partage, continueront-ils, la plupart de ses gènes avec les chimpanzés. Certes, ajouteront-ils, le souci humaniste de ne pas dégrader l'homme en le commercialisant est aussi le nôtre. N'en sommes-nous pas nous-mêmes à l'avant garde en cherchant à délivrer l'humanité de la malédiction de la faim et de la maladie ? Mais cet humanisme que nous partageons a un coût : vous ne pouvez pas en freiner les avancées en interdisant le brevet de gènes de rats ou de chimpanzés quand bien même ils sont aussi présents chez l'homme. Nous signons donc votre appel car, pas plus que vous, nous ne souhaitons breveter les gènes proprement humains : ceux de la liberté ? de la conscience ? du bien et du mal ? de l'humanisme ? Quoique… Ne faudrait-il pas aussi songer à nous guérir de ces gènes trop humains ?

Ne nous occasionnent-ils pas des souffrances morales insoutenables?
Les « gènes humains » nous ramènent au fallacieux réductionnisme contemporain du « tout génétique » et du fétichisme du gène. Mais notre humanité n'est pas plus dans les gènes que notre personnalité dans les protubérances crâniennes de la phrénologie [5].

RECHERCHE & CHERCHEUR « PUBLICS »... *ou ce qu'il en reste*

On oppose la recherche et les chercheurs privés, dont le but est de faire des profits, à la recherche publique, qui poursuivrait des objectifs philanthropiques. C'est se tranquilliser bien facilement. Car la recherche publique s'inscrit dans une division du travail scientifique qui lui confie les travaux ce qui n'est pas directement rentable afin de laisser à la recherche privée les étapes finales conduisant au marché et au profit. Cette division du travail doit elle-même s'envisager dans le cadre du rôle de la science et de la technique dans l'expansion du système capitaliste depuis la Renaissance.

ÉTHIQUE *qui n'est que* CACHE-MISÈRE [6]

Invoquée avec des larmes de crocodile et une fascination maladive chaque fois qu'une borne de l'instrumentalisation du vivant est franchie, l'éthique est, avec l'avocasserie, un des domaines où les nécrotechnologies créent le plus d'emplois. Il convient de généraliser ce qu'Erwin Chargaff dit à propos des directives éthiques en matière de techniques de reproduction adoptées par la Société américaine de fertilité : « La plus vorace des chèvres n'aurait pas écrit un manuel de jardinage plus permissif[7]. »

EN GUISE DE CONCLUSION

Pour conclure qu'il importe d'aller de l'avant, les biotechniciens utilisent fréquemment l'expression « Dans l'état actuel des connaissances scientifiques », qui signifie en fait : « Nous n'avons pas la moindre idée des conséquences éventuelles de ce que nous faisons. Par conséquent, fonçons ! »

JEAN-PIERRE BERLAN

Notes de l'avant-propos

1. Rapport du conseil d'administration de la Fondation Rockefeller, 1933, cité in Lily E. Kay, *The Molecular Vision of Life*, Oxford University Press, Oxford, 1993, p. 45.

2. J-Y. Nau, « Une firme privée aurait décodé le génome d'un homme », *Le Monde*, 7 avril 2000.

3. H. Kempf et R. Rivais, « La Cour européenne de justice relance la bataille des plantes transgéniques », *Le Monde*, 22 mars 2000.

4. Lire la déclaration de René Riesel devant le tribunal d'Agen à l'occasion de sa comparution avec José Bové et Francis Roux, deux de ses camarades de la Confédération paysanne, lors du premier procès du maïs transgénique, le 3 février 1998 – texte paru in *Déclarations sur l'agriculture transgénique et ceux qui prétendent s'y opposer*, Encyclopédie des nuisances, 2000.

Notes de « La génétique agricole : 150 ans de mystification »

1. Lire Jean-Pierre Berlan & Richard C. Lewontin, « Plant breeders' rigths and the patenting of life forms », *Nature*, 1986, n° 322, p. 785-788.

2. *The Guardian Weekly*, 20-26 octobre 1999.

3. Klaus Ammann, « Les OGM, entre mensonges et hystérie », *La Recherche*, n° 325, novembre 1999.

4. Vincent Tardieu, « Polémique autour de la truite transgénique de l'INRA », *Le Monde*, 12 août 2000.

5. Selon *La Croix* du 8 novembre 2000, le gouvernement s'apprêterait à transposer la directive 98/44 en « laissant de côté le débat éthique qu'il pose » pour le brevet du génome « humain ».

6. H. Collins, de Delta and Pine Land, cité in « Suicide seeds on the fast track », RAFI, 24 mars 2000.

7. H. Evershed, « Improvement of the Plants of the Farm », *Journal of Royal Agriculture Society* (London), John Murray, n° 45, p. 77-113.

8. Youyong Zhu et al., « Genetic Diversity and Disease Control in Rice », *Nature*, 17 août 2000, n° 406, p. 718-722.

9. John Le Couteur, *On the Varieties, Properties and Classification of Wheat*, W. J. Johnson, Londres, 1836.

10. Charles Darwin, *The Variations of Animals and Plants under Domestication*, John Murray, Londres, (1868) 1905.

11. Frederick Hallett, « On "pedigree" in wheat as a means of increasing the crop », *J. Roy. Ag. Soc.*, 1862, n° 23, p. 371-381.
12. Charles Darwin, *The Variations…, op. cit.*, chap. XXVII.
13. F. Hallett, *The Agricultural Gazette*, 24 & 31 janvier 1887.
14. Lire Vitelzslav Orel, *Mendel*, Oxford UP, Oxford, 1984.
15. Jean Gayon, « L'émergence du concept d'hérédité au XIXe siècle », in Jean-Pierre Berlan (dir.), *Faut-il créer un privilège sur le vivant ?* Atelier européen, Montpellier, 26 et 27 septembre 1997.
16. Frederick Hallett, « Food plant improvement », *Nature*, mai 1882, n° 25, p. 91-94.
17. Hugo De Vries, *Plant-Breeding*, The Open Court Publishing Co, Chicago, 1907. [C'est nous qui soulignons.]
18. S. K. Vasal, « Manifestation and genotype X environment interaction of heterosis », *Crop Improvement*, 1993, vol. 20, n° 1, p.1-16.
19. A. A. Pickett et N. V. Galvey, « A further evaluation of hybrid wheat », *Plant Varieties and Seeds*, 1997, n° 10, p. 15-32.
20. George H. Shull, « Hybrid seed corn », *Science*, 1946, vol. 103, n° 2679.
21. Leon Steele, « The hybrid corn industry in the United States », in David Walden (dir.), *Maize Breeding and Genetics*, John Wiley and Sons, 1978, p. 29.
22. R. W Jugenheimer, *Hybrid maize breeding and seed production*, New York, John Wiley & Sons, 1976.
23. Charles Darwin, *Cross and self-fertilization in Plants*, John Murray, Londres, (1876) 1 916.
24. George H. Shull, « The Composition of a Field of Maize », *American Breeder's Association Report*, 1908, n° 4, p. 296-301.
25. On n'insistera jamais assez sur révolution qu'introduit dans tous les domaines scientifiques, et particulièrement en biologie, le livre fondamental de R. Fisher, *Statistical Methods for the Research Worker* (Oliver and Boyd, Edimbourg, 1925).
26. George H. Shull, « A Pure-Line Method in Corn Breeding », *American Breeders Association Report*, 1909, 5, p. 51-59.
27. Sur l'impossibilité pratique de la méthode des « hybrides » et son dépassement, lire Jean-Pierre Berlan, « Quelle politique "semencière" ? » *Revue OCL*, Dossier « Génomique et sélection », mars/avril 1999, vol. 6, n° 2 ; *Campagnes Solidaires*, avril 1999, n° 129.

28. R. H. Moll, M. F. Lindsey et H. F. Robinson, « Estimates of genetic variance and level of dominance in maize », *Genetics*, 1964, n° 49, p. 411-423.

29. A. B. Bruce, « The mendelian theory of heredity and the augmentation of vigor », *Science*, 1910, n° 827, p. 627-628.

30. Frederick Keeble et C. Pellew, « The mode of inheritance of stature and of time of flowering in peas (*Pisum sativum*) », *Journal of Genetics*, 1910, 1, p. 47-56.

31. George Shull, lettre à Cunningham datée de 1942, in Richard A. Crabb, *The Hybrid Corn Makers, Prophets of Plently*, Rutgers UP, New Brunswick, 1947.

32. Richard Crabb, *The Hybrid Corn Makers…, op. cit.*, p. 50.

33. G. H. Shull, « The Genotypes of Maize », Cornell Symposium « The Genotype hypothesis », *The American Naturalist*, n° 45, p. 234-252.

34. Imre Lakatos et Alan Musgrave (dir.), *Criticism and the Growth of Knowledge*, Cambridge UP, Cambridge, 1970.

35. J. G. Coors, « Selection methodologies and heterosis », CIMMYT, *Book of Abstracts. The Genetics and Exploitations of Heterosis in Crops. An International Symposium*, Mexico, 1997, p. 170.

36. *Ibid*

37. Sur cette fausse conscience, lire René Riesel, « OGM : la société industrielle en procès », *L'Écologiste*, n° 1, 2 000.

38. Lire *Remarques sur l'agriculture génétiquement modifiée et la dégradation des espèces*, Encyclopédie des Nuisances, Paris, 1999.

39. Richard Lewontin et Jean-Pierre Berlan, « Technology, research and the penetration of capital : The case of US Agriculture », *Monthly Review*, numéro spécial, *Science, Technology and Capitalism*, vol. 38, n° 3, juillet-août 1986, p. 31.

40. *Ibid.*, p 34.

41. G. Conway, « La voie de la raison dans la bataille globale pour l'alimentation », *Fortune*, vol. 141, n° 4, 21 février 2000.

42. Richard Lewontin, *The Doctrine of DNA. Biology as ideology*, 1993, p. 45-46.

43. Lire *Remarques sur l'agriculture génétiquement modifiée, op. cit.*

44. Lire Jean-Pierre Berlan, « Champ, contre champ », in G. Ferné (dir.) « Science, pouvoir et argent », in *Autrement*, 1993.

45. *1946-1986. Quarante ans de recherche agronomique*, INRA, Paris, 1986, p. 44.
46. Voir le symposium du Centre d'amélioration du maïs et du blé (CIMMYT) sur « l'hétérosis dans les cultures » en 1997 à Mexico, *op. cit.*
47. *Semences et progrès*, octobre 1976.
48. Mark Griffith, « The Emperor's new transgenic clothes », 10 octobre 1999 <nlpwessex@bigfoot.com> dossier <file ://C :WINDOWS/Desktop/mark griffiths/gmlemmings.htm>.
49. Lire Dwijen Rangnekar, « Closing the circle : a political and historical account of the development of plant breeders' rights at the UPOV », in Jean-Pierre Berlan (dir.), « Faut-il créer un privilège sur le vivant ? », Atelier européen, Montpellier, 26 et 27 septembre 1997.
50. Lire J.-P. Berlan, « Quelle politique "semencière" ? », *op. cit.*
51. F. Lappe, J. Collins et P. Rosset, *World Hunger : 12 Myths*, The Institute for Food and Development Policies, Earthscan Publications, 1998.
52. US Government Printing Office, *Historical Statistics of the United States*, 1970.
53. Sur le caractère illusoire des « solutions » transgéniques, lire Gilles-Éric Séralini, *Les OGM. Le vrai débat*, Flammarion, Paris, 2 000.
54. Jean-Benoit Peltier <peltier@biokemi.su.se>, 28 septembre 1999.
55. Biovalley, Région Alsace, ministère de la Recherche, « Les OGM : enjeux et risques » Strasbourg, 11 septembre 2000.
56. Ciba-Geigy, *Pyrale et Sésamie*, dossier Ciba-Geigy, 1998.
57. Citations de la dépêche AFP. Lire Serge Savary, Laetitia Willocquet et al., « Rice pests constrains in tropical Asia. Characterization of injury profiles in relation to production situations. Quantification of yield losses due to rice pests in a range of production situations », *Plant Disease*, mars 2000, p. 341-355 & 357-359.
58. *Ibid.*
59. Darrell Smith, « Beans without weeds », *Farm Journal*, juillet-août 1999.
60. Charles Benbrock, « Evidence of the Magnitude and consequence of the Roundup ready Soybean yield drag from university based varietal trials in 1998 », *Ag BioTech InfoNet Technical*, paper n° 1, juillet 1999. [Pour les conclusions de Benbrock lire supra p. 90.]
61. Youyong Zhu et al., *op. cit.*
62. Dennis Murphy, « Annual conference of British Association for the Advancement of Science », Cardiff, 1998.

63. M. Gray (entomologiste), correspondance personnelle, novembre 2000.

64. Agro-INRA, *Les Échos de la Gaillarde*, octobre 1999, n° 12.

65. Lire Richard Levins, « Science and Progress : seven developmentalist myths in agriculture », *Monthly Review*, n° spécial, « Science, Technology and Capitalism », juillet-août 1986, vol. 38, n° 3, p. 13-20.

66. Jordaan et al., « Wheat and heterosis », in CIMMYT, *op. cit.*, p. 276.

67. Cité par D. Raichvarg au cours du colloque en hommage à Martine Barrère, « Science, pouvoir et démocratie », 4-5 octobre 1996.

Notes de « Santé publique, environnement & aliments transgéniques »

1. Axel Kahn, *Société et révolution bioéthique, pour une éthique de la responsabilité*, INRA éditions, Paris, 1995, p. 69.

2. Arnaud Apoteker, *Du poisson dans les fraises*, La Découverte, Paris, 1999.

3. E. Millstone, E. Brunner & S. Mayer, « Beyond "substancial equivalence" », *Nature*, 1999, n° 401, p. 525-526.

4. A. N. Mayeno & G. J. Gleich, « *Eosinophilia myalgia* syndrome and tryptophan production : a cautionary tale », *TIBTECH*, 1994, n° 12, p. 346-352.

5. H. Sidransky *et al.*, « Studies with 1,1'-Ethylidenebis (tryptophan), a contaminant associated with L-Tryptophan implicated in the Eosinophilia-Myalgia Syndrome », *Toxicology and Applied Pharmacology*, mai 1994, vol. 126, n° 1, p. 108-113.

6. S. W. B. Ewen & A. Pusztai, « Effect of diets containing genetically modified potatoes expressing *Galvanthus nivalis* lectin on rat small intestine », *The Lancet*, 1999, 354 (9187), 16 octobre 1999.

7. J. Domingo, *Science*, 2000, n° 288, p. 1478.

8. A. E. Sloan & M. E. Powers, « A perspective on popular perspections of adverse reactions to foods », *Journal of Allergy and Clinical Immunology*, 1986, n° 78, p. 127-133.

9. S. A. Bock, « Perspective appraisal of complaints of adverse reaction to foods in children during the first 3 years of life », *Pediatrics*, 1987, 79 : 683-688 ; Sampson, H.A., Mendelson, L. and J.-P. Rosen. 1992. « Fatal and near-fatal anaphylactic reactions to food

in children and adolescents ». *The New England Journal of Medicine*, n° 327, p. 380-384.
10. J. A. Nordlee, S. L. Taylor *et al.*, « Identification of a brazil-nut allergen in transgenic soybeans », *The New England Journal of Medicine*, 1996, vol. 11, n° 334, p. 688-692.
11. Marion Nestle, « Allergies to transgenic foods. Question of policy », *The New England Journal of Medicine*, 1996, vol. 11, n° 334, p. 726-727.
12. J. A. Nordlee, S. L. Taylor *et al.*, « Identification of a brazil-nut allergen… », *op. cit.*
13. Marion Nestle, « Allergies to transgenic foods… », *op. cit.*
14. D. K. Mercer, K. P. Scott *et al.*, « Fate of free DNA and transformation of the oral bacterium *Streptococcus gordonii* DL1 by plasmid DNA in human saliva », *Applied and Environmental Microbiology*, 1999, n° 65, p. 6-10.
15. « Call for UK genetic food watchdog », *Nature online service*, 3 sept. 1998.
16. « Board of Science and Education », British Medical Association, mai 1999.
17. M. A. Lappé, E. B. Bailey *et al.*, « Alterations in clinically important phytoestrogens in genetically modified, herbicide-tolerant soybeans », *Journal of Medicinal Food*, 1999, vol. 4, n° 1.
18. C. Benbrook, « Evidence of the magnitude and consequence of the Roundup Ready soybean yield drag from university-based varietal trials is 1998 », *Ag BioTech InfoNet Technical Paper* n° 1, Sandpoint, Idaho, 1999 <www.biotech-infonet.com:RR_yield_drag_98.pdf>.
19. Chiffres de l'Union for Concerned Scientists, 1998.
20. C. James, « Global Status of Transgenic Crops in 1997 » *ISAAA Briefs*, n° 5, Ithaca, NY, 1997.
21. F. Gould, « The evolutionary potential of crop pests », *American Scientist*, 1991, n° 79, p. 496-507.
22. T. Burghart, « Computer model tests "Bt corn" », Associated Press Online, 29 avril 1998.
23. F. Gould, A. Anderson *et al.*, « Initial frequency of alleles for resistance to *Bacillus Thurigiensis* toxins in field populations of Heliothis virescencs », *Proceeding of the National Academy of Sciences*, USA, 1997, n° 94, p. 3519-3523.
24. R. Weiss, « Corn seed producers move to avert pesticide resistance », *The Washington Post*, janvier 1999, p. A4.

25. A. Hilbeck, M. Baumgartner *et al.*, « Effects of transgenic *Bacillus thuringiensis* corn-fed prey on mortality and development time of immature *Chysoperla carnea* (*Neuroptera : Chrysopidae*) », *Environmental Entomology*, 1998, vol. 27, n° 2, p. 480-487.
26. J. Compeerapap, « The Thai debate on biotechnology and regulations », *Biology and Development Monitor*, 1997, n° 32, p. 13-15.
27. Environment Protection Agency, MRID n° 434635.
28. J. Koskella and G. Stotzky, « Microbial utilization of free and clay-bound insecticidal toxins from Bacillus thuringiensis and their retention of insectidical activity after incubation with microbes ». *Applied and Environmental Microbiology*, 1997, vol. 63, n° 9, p. 3561-3568.
29. A. N. E. Birch, I.E. Geoghegan *et al.*, « Interactions between plant resistance genes, pest aphid populations and beneficial aphid predators », *1996/97 Scottish Crop Research Institue Annual report*, Invergrowrie, Dundee, Scotland, 1997, p. 66-72.
30. K. Kleiner, « Fields of Genes », *New Scientist*, 16 août 1997.
31. *Ibid.*
32. D. Ostermann, « GE-rapeseed escapes into environment. Ministry : seeds change normal plants », *Frankfurter Rundshau*, 6 décembre 1997.
33. Friends of the Earth, 1999.
34. Anonyme, « Thailand : Government passes up pest-free cotton plant », IPS,1997.
35. J. Kling, « Could transgenic supercrops one day breed superweeds ? », *Science*, 1996, n° 274, p. 180-181.
36. L. Holmes, D.L. Plunknett *et al.*, *The World's Worst Weeds : Distribution and Biology*, Honolulu (HI), University Press of Hawaii, 1977.
37. T. R. Mikkelsen, B. Andersen, & R.B. Jorgensen, « The risk of corp transgene spread », *Nature*, 1996, n° 380, p. 31.
38. A. A. Snow & R. B. Jorgensen, « Costs of transgenic glufosinate resistance introgressed from Brassica napus into weedy Brassica napa », Annual meeting of the Ecological Society of America, août 1998.
39. J. Bergelson, C. B. Purrington et G. Wichmann, « Promiscuity in transgenic plants », *Nature*, 1998, vol. 395, n° 6697, p. 25.
40. Rachel Carlson,*Silent spring*, Boston, Houghton Mifflin, 1962.

Notes de « Agrochimie, semences, OGM & pillage des ressources génétiques »

1. B. Cailliez, « Des freins à une forte concentration de l'industrie semencière. Entretien avec Jean-Louis Duval, président de la FIS », *Seed & Ag'Chem Business*, « Cultivar », hors-série mai 1998, p. 12.
2. RAFI, *World Seed Conference*, septembre 1999.
3. Alain Godard, président du secteur Santé végétale et animale de Rhône Poulenc, in *La Tribune verte*, 2 novembre 1998.
4. Rhône Poulenc, *Santé végétale et animale*, informations destinées à la presse financière, <www.RhônePoulenc.com>, août 1999.
5. Corporate Genomics Profile sur Monsanto <www.groundup.org>.
6. RAFI, « Seed industry consolidation : who owns who ? », juillet-août 1998.
7. B. Cailliez, « Des freins à une forte concentration de l'industrie semencière… », *op. cit.*
8. *Libération*, 14 septembre 1999.
9. « AgrEvro : un package de maïs transgénique », *La Tribune Verte*, n° 1461, 21 septembre 1998.
10. « Monsanto Sees Plant PlantBreeding Buy Furthering Hybrid Wheat », *Dow Jones Newswire*, 15 juillet 1998.
11. *La Tribune verte*, n° 1430, 1998, p. 21.
12. B. Cailliez, « La course à la génomique est lancée », *Seed & Ag'Chem*, hors-série « Cultivar », mai 1999, p. 12.
13. *Ibid.*
14. B. Cailliez, « La course à la génomique est lancée », *op. cit.*
15. « UC Berkeley and Novartis : an unprecedent agreement », *Global issues in agricultural Research*, 25 janvier 1999, vol 1, n° 3, p. 5.
16. « Novartis : 600 millions de dollars pour la génomique agricole », *Tribune Verte*, n° 1451, 3 août 1998 ; Corporate Genomics Profile sur Novartif <www.groundup.org>.
17. Corporate Genomics Profile sur Monsanto, <www.groundup.org>
18. Informations sur <http://danforthcenter.org>.
19. Corporate Genomics Profile sur Monsanto <www.groundup.org>
20. Bernard Le Buanec, secrétaire général de la Fédération internationale des semenciers <www.sci.mond.org/pubs.html>, News Direct Alert C-127, 20 janvier 1998.

21. RAFI, « Biopiracy update : the inequitable sharing of benefits », sept.-oct. 1997.
22. RAFI, « Biopiracy update : the inequitable sharing of benefits », 1995 et 1996 ; « Biopiracy update : US patents claim exclusive monopoly control of food crop, medicinal plants, soil microbes and traditional knowledge from South », décembre 1996.
23. RAFI, « Patenting is out of control », communiqué d'août 1998.

Notes de « La directive européenne 98/44 & la santé »

1. Seth Shulman, « Patent absurdities », *The Sciences*, janvier-février 1999.
2. *Le Monde*, 18 janvier 2000.
3. Lire M. Cassier et J.-P. Gaudillère, « Le génome : bien privé ou bien commun ? », *Biofutur*, 204, octobre 2000.
4. Lire Raoul Marc Jennar, « La biopiraterie au-dessus des lois ? La directive européenne 98/44 viole huit instruments internationaux ! », Oxfam solidarité, Bruxelles, 16 février 2000.

Notes de « Faire la paix avec le vivant »

1. Revue de vulgarisation scientifique, *La Recherche* s'illustre particulièrement dans la propagande transgénique. Lire notamment « Une chercheuse africaine [*qui a travaillé pour Monsanto !*] plaide pour les OGM » (*La Recherche*, décembre 2000, n° 337).
2. M. L. Guerinot, « The green revolution strickes gold », *Science*, 2000, n° 287, p. 241-243.
3. Traité de l'agriculture durable rédigé par les ONG (organisations non gouvernementales) à l'occasion de la Conférence des Nations-Unies sur l'environnement et le développement tenu au Brésil en juin 1992. Cité in Michael Hansen, « Biotechnology and the Food System », Consumer Institute for South Africa, Conference on Biotechnology, 29 octobre 1999, Johannesburg, South Africa.

Notes de « Quelques termes de la novlangue biotechnologique »

1. Lily E. Kay, *The Molecular Vision of Life, op. cit.*, p. 49.
2. *Ibid.*, p. 46.
3. Gilles-Éric Séralini, *Les OGM, le vrai débat*, Flammarion, Paris, 2000.
4. E. Millstone, E. Brunner et S. Mayer, « Beyond "substantial equivalence" », *Nature*, 1999, n° 401, 525-526.
5. Voir la note 1 de l'avant-propos.
6. Cornélius Castoriadis, *La Montée de l'insignifiance. Carrefours du Labyrinthe IV*, Paris, Seuil, 1996.
7. Erwin Chargaff, « Engineering a molecular nightmare », *Nature*, vol. 327, 21 mai 1987, p. 200. (En démontrant à la fin des années 1940 que les bases A-T et G-C de l'ADN sont dans des rapports constants, Chargaff a joué un rôle clé dans l'élaboration du modèle de la double hélice de l'ADN de Watson et Crick de 1953.)

JEAN-PIERRE BERLAN est directeur de recherche l'INRA (Montpellier)

MICHAEL HANSEN est directeur scientifique au Consumer Policy Institute de New York

PAUL LANNOYE est président du groupe des Verts au Parlement européen

SUZANNE PONS est biologiste et membre d'ATTAC

GILLES-ÉRIC SÉRALINI est professeur de biologie moléculaire à l'Université de Caen et membre de la Commission du génie biomoléculaire et du Comité provisoire de biovigilance

Table des matières

Agone Éditeur, BP 2326
F-13213 Marseille cedex 02

Comeau & Nadeau Éditeurs
c.p. 129, succ. de Lorimier
Montréal, Québec H2H 1V0

Achevé d'imprimer en janvier 2001
sur les presses de l'Imprimerie France Quercy
113, rue André-Breton, F-46000 Cahors

Distribution en France : Les Belles Lettres
95, bd Raspail, 75006 Paris
Fax. 01 45 44 92 88

Diffusion en France : Athélès
Fax. Administration 04 91 90 71 30
Fax. Commande 01 43 01 16 70

Diffusion-Distribution au Canada : Prologue
(450) 434 0306 – (800) 363 2864

Diffusion-Distribution en Belgique : Nord-Sud
Rue Berthelot, 150, B-1190 Bruxelles
Tél. (322) 343 10 13 – Fax. (322) 343 42 91

Dépôt légal 1er trimestre 2001
Bibliothèque nationale de France
Bibliothèque nationale du Québec
Bibliothèque nationale du Canada